Successful Wishing II

宇宙にもっと上手に お願いする法

ピエール・フランク 著
Pierre Franckh
中村智子 訳
Tomoko Nakamura

サンマーク出版

信じていることは実現する

信じていないことは実現しない

『宇宙にもっと上手にお願いする法』●目次

★プロローグ
信じていることは実現する！

★第一章
あなたの中にある願いの力

★第五章
困ったときこそ冷静にお願いする！

★第六章

もっと上手にパートナーをお願いする法

★第七章
もっと上手に成功をお願いする法

★第八章
誰かのためにお願いする法

★第九章
もっと上手にお願いするためのQ&A

★エピローグ

うまくいかないこともある

装　幀／重原　隆
翻訳協力／リ　ベ　ル
編集協力／逍　遙　舎
ＤＴＰ／onsight

★プロローグ

信じていることは実現する！

★私たちは、考えることで命令を発しています。意識的かどうかは関係ありません。

★宇宙は否定形を知らない。避けたいことほど向かってくるのです。

どんな思いや考えも、エネルギーでできています。このエネルギーが、物事を実現するのに、大きな役割を果たしています。つまり、私たちの思いを形に変えるのです。エネルギーは同じ波動、すなわち、私たちの思いと共鳴するエネルギーを探し出して結びつきます。こうして、私たちは思いの力によって、考えていることをすべて引き寄せるというわけです。**私たちは、考えることで命令を発しています。意識的かどうかは関係ありません。**リクエストする、祈る、疑う。こうした行為にはすべて、引き寄せの法則が働いています。エネルギーは意志や道徳的な考えは持ち合わせていないので、エネルギーが向けられたところに形となって現れるのです。

仕事を続けるべきかどうかの合図をお願いする

私でも落ち込むことがあります。

本書を執筆するため、終盤では一日に十六時間も机に向かっていることがありました。ある夜、私はパソコンの前にくたくたに疲れて座っていました。すると突然、大きな不安に襲われたのです。この本に興味を示してくれる人がいるのだろうか、今書いていることは、すでに、前の本ですべて語りつくしたのではないだろうか。世の中の人が私の新しい本を本当に必要としてくれているのかどうか、急に確信がもてなくなってしまったのです。私は元気をなくし、椅子の背もたれに寄りかかると、合図をお願いしました。これからも執筆活動を続けていくだけの十分な根拠を、すぐにはっきりと示してほしい、と願ったのです。すると信じられないことが起こりました。願ってから十分もたたないうちに、一通のEメールが届いたのです。それも、午前〇時四十三分という大変遅い時間にです。午前一時二分、私は目に涙を浮かべながらそのメールに返信し、再び仕事に戻りました。

ここで、私を深く感動させてくれたアンカさんからのメールを紹介します。

息子の病気と健康を願う

ピエール・フランク様

以前にもメールでお知らせしましたが、これまで、私には、多くの願いがかなえられてきました。かれこれ四か月以上前のことになりますが、人生でもっともすばらしい願いがかなえられました。私は、健康でとてもかわいい男の子を出産したのです。あなたの本を拝読し、上手に願う方法も、それによって大成功を収めることができるということもよくわかっているつもりでした。ところが、私たちの願いは、無意識に望んでいることまで、本当に〝すべて〟かなえられてしまうという、悲しい体験もしました。今日は、その報告をします。

妊娠期間中、私はネガティブなことは上手に無視してきました。そうやって、元気に、順調な妊娠期間を過ごし、健康な男の子を産むことを確信していました。

そのとおりになりました！　つわりやむくみ、過度の体重増加、妊娠線など、さまざまな症状に悩まされることもありませんでした。私は妊娠期間中を健康に過ごし、無事出産し、健康な子どもが誕生することを信じていました。そして、幸せいっぱいに我が子を腕に抱いたとき、私の願いはすべて、完璧《かんぺき》な形でかなえられたのです。

ところが、ホルモンの関係なのか、他のことが原因なのかはわかりませんが、私は幸せのあまり感情が高ぶっていたようです。あるとき、突然、今度は不安に襲われるようになりました。以前、何年にもわたって、私はひどいアトピー性皮膚炎に苦しんでいたことがあったからです。アトピー性皮膚炎にかかったことがある方ならおわかりになると思いますが、この発疹《ほっしん》は、精神的にも肉体的にもとてもつらいもので、皮膚が醜くなることもあります。ですから、息子に病気が遺伝したかもしれないと、すっかり気が動転してしまったのです。そこで、まったく兆候がなかったにもかかわらず、「おチビちゃんが皮膚病に〝なりません〟ように！」と祈りつづけました。

あなたの著書『宇宙に上手にお願いする法』（サンマーク出版）で学んだように、宇宙は「ない」という言葉を知りません。それなのに、私は皮膚病について新しい知識を仕入れては、ネガティブな思いをめぐらせていたのです。クリーム、バスオイル、薬などを買いました。息子に小さな湿疹《しっしん》ができるたびに診察してもらいました。

小児科を三軒、皮膚科を二軒訪れましたが、どこへ行っても、息子は健康そのものだと太鼓判を押してくれました。それなのに、私は不安をぬぐい去ることができませんでした。そうこうしているうちに、夫もいつしか息子が病気になるのではないかと心配するようになりました。

そして、親しい医者に問い合わせ、アドバイスを受けるようになったのです。そんなことばかりしてたのですから、ネガティブな結果になるのは当然かもしれません。最初は私しか気づかなかったような小さな湿疹が粉をふいたようになり、息子の肌はひどい炎症を起こし、赤くなってしまったのです。症状は、日を追うごとにひどくなっていきました。三か月後、小児科の医師にもアトピー性皮膚炎と診断され、私の（無意識の）願いがついに〝実現〟してしまいました。

病院からの帰宅途中、私は考えました。「思ったとおり、やっぱり皮膚炎だったのね。私の考えはまちがっていなかったわ」。奇妙なことに、私の心は軽くなっていました。すっきりした気分で家に着くと、私は『宇宙に上手にお願いする法』を本棚から引っ張り出しました。気がつくと、偶然に四二、四三ページが開いており、太字の文章が目に飛び込んできました。

宇宙は否定形を知らない。避けたいことほど向かってくるのです。

私は幼い息子をぎゅっと抱きしめると、約束しました。「また元気になるのよ」と。その夜、私は、さらに専門医を探そうとしていた夫に、『宇宙に上手にお願いする法』のこと、その本で私が学んだことを説明しました。生来の「現実主義者」で、私の願いがかなえられるといつも、「ただの偶然だ」とバカにしていた夫が、その晩は、息子の健康をいっしょに願ってくれたのです。そのころ息子の肌はひどく敏感になり、かゆみもひどく、じくじくした状態でした。そのせいで、よく泣き、小さな指で体をかきむしりながら苦しんでいました。私たちは息子の「完全な健康」を願い、次回の診察の際に、医師から「回復に向かっています」と言ってもらえるよう望みました。はたして、一週間後の検診では、湿疹が一つあるだけであとはとくに注意する必要はない、と担当医から伝えられたのです。

深い感謝の気持ちを込めて、フランクさんにこの体験を分かち合っていただきたいと思います。あなたの本に出合わなければ、不安がいかに大きい影響を与えるかということについて気づかなかったことでしょう。治そうという思いの力を利用することもなかったでしょう。次回の診察は三週間後です。これまで、ゆるぎない信念のもとに、どんな願いもかなえられてきました。この信念があれば、息子は「完全な健康」を手に入れられるはずです。

ありがとうございました。

アンカ

私にとってこのメールは、これからも執筆を続けていくための、とてもすばらしい合図であり、意欲をかきたててくれる励ましの言葉でもありました。

★第一章

あなたの中にある願いの力

★私たちの中には、願いどおりの人生をつくり出せるすばらしい力が眠っています。それは、あなたの中にもあるのです。

★お願いに制限はありません。制限があるのは、私たちの頭の中だけなのです。

願いのエネルギーが奇跡を起こす

　普通ならこの場を借りて、いつも信頼して見守ってくれる妻や、このような本を受け入れてくれた出版社の勇気に対し、さらに、誤字脱字を入念にチェックしてくださる気の毒な編集の方へ感謝の意を表すべきでしょうが、私はここで、読者のみなさんに感謝の言葉を述べたいと思います。

『宇宙に上手にお願いする法』を発表してからというもの、たくさんの方が奇跡の体験談を寄せてくださいました。こうしたみなさんの生き生きとした報告に、心より御礼申し上げます。人生が、どのようにしてポジティブなものになっていったのか、悲しみや絶望的な状況が、どのように豊かで満たされたものへ変化していったのか、自分の欠点や束縛された考え方にどのように別れを告げたのか、その結果、どのように幸せと喜びが訪れたのかなど、たくさんの方から寄せられた数え切れない体験談に、ただただ感動しました。

　人は自分の発する願いのエネルギーがどんなものであるかの感触をつかむと、意識的にエネルギーを利用できるようになります。すると、それによって人生に変化が訪れ、自分の生活の中にも奇跡が起こるのです。そこでは、年齢も収入も出身も職業も関係ありません。難しい仕事をしていようが、単純な仕事をしていようが、自分で事業を営んでいようが、雇われていようが、失業していようが、忙しかろうが、暇であろうが、まったく関係ありません。さらに、かなえたい夢が大きいか小さいかも重要ではありません。大切なことは、願いには一つとして同じものはなく、私たちがいかに意識的に正しく願ったか、ということだけです。

私はここ数年、大勢の人が自分の中にある願いの力を見いだし、上手に願えるようになっていった様子を見てきました。そして、どのように経済的な問題から抜け出したのか、どのように新しい友人を獲得したのか、どのように人生のパートナーを引き寄せたのか、どのように称賛や尊敬のまなざしを得て、さらには名声や富を手に入れていったのかという体験談を聞かせてもらいました。

こうした体験に共通する驚くべき点は、**すべてが偶然ではない**、ということです。それは、私たちの誰もが引き起こすことができるものです。誰もが、実りの多い幸せな人生をつくり出せるのです。それには、ただ、願えばいいのですから。**私たちの中には、願いどおりの人生をつくり出せるすばらしい力が眠っています。それは、あなたの中にもあるのです。**

まさにこれが、本書のテーマです。つまり、願いは、ここからスタートします。そこで、本書では次のことを説明していきましょう。

- 願いごとをすべて実現させるには？
- 失敗を避けるには？
- 願いごとにさらに力を与えるには？
- 真の願いと結びつくには？
- 願いがうまくかなえられるための言葉は？
- 他の人は、どのように願いをかなえていったか？

成功を収めるには、他人の成功話を聞くのがもっとも効果的です。ですから、本書では私の新たな成功談だけでなく、「奇跡」を報告してくださった読者やセミナー参加者の喜びの声も紹介します。たとえば、母娘そろって夢見ていた車をプレゼントされた話や、消えた木の話、家の話、理想のパートナーや思いがけない金運を手にした話、そして奇妙な〝偶然〟によって願いがかなえられた話、すでにご紹介しましたが、願いによって子どもの病気が治ったという母親からの感動的な報告をはじめ、愉快な「小さい」ことから信じられないような「大きい」ことまで、さまざまな体験談を紹介します。

これらの体験談を聞いていると、多くの人は、すばらしい願いの力をはじめからわかっていたように思えます。**願いの力は、私たちの中にただ眠っているだけで、それを呼び起こすには、小さな刺激を与えるだけで十分なのです。**私たちの中にあるエネルギーは、放たれることを待ち構えていたかのようです。

願いを制限しない

もちろん、「失敗」にも焦点を当て、何がまずかったのかや、まちがったリクエストをしないための方法も検討します。さらに、よくある質問にもお答えします。これまでに寄せられた質問や体験談の数は膨大なために、一冊の本でそのすべてを取り上げることはできません。けれども、私はみなさんの体験談にいたく感動したので、その中のいくつかについては詳しく述べていきたいと思います。そこで、テーマごとに分けることにしました。パートナー探し、私たちそれぞれにとっての成功――つまり成功全般、そして他人のために願うことについてです。
また本書は、読者の質問に対する答え、問題の解決法、お願いの言葉、成功の体験談、**奇跡があっという間に起こるようにするための便利な方法**について述べることで、みなさんが知りたいことがすべてわかるようになっています。**お願いに制限はありません。制限があるのは、私たちの頭の中だけなのです。**

あなたの隣人が、大きな家を手に入れちょうど引っ越そうとしていたら、その家の前に新しい車が止まっていたら、あるいは待ちに待ったパートナーと腕を組んで歩いていたら、「ひょっとしたら『宇宙に上手にお願いする法』を読んだのではないですか？」とこっそり聞いてみてください。実際、多くの人が、私の前作を読み、私がこれまでに想像もしてみなかったようなことを願い、かなえているのです。

ところで、「上手に願う」方法は、私のアイデアではありません。これはただ単に、私が自分の人生を送るために用いている方法です。この考えは、私が発表するよりもずっと前から、成功を収めてきた発明家や経営者、組織のトップにいる人々が行ってきたことです。彼らと私の唯一の違いは、私は成功を収める方法を自ら語り、聞きたい人には誰にでもも分けてあげようとしている点です。**「上手に願う」技術は封印された秘密ではありません。獲得しなければならないものでもありませんし、トレーニングによって身につけなければならないものでもありません。必要なものはすべて、自分の中に備わっています。**ただ、エネルギーを使えばよいのです。すると、何もかもがあなたの意のままになるのです。

私の小さな宝箱から

小さなおまけとして、本書には、テーマごとにお願い言葉も加えてあります。これは、私が自分のために考え、実際に使ってみて、うまくいったものです。私が妻を引き寄せるために用いたお願いの言葉の全文（111ページ参照）も掲載してあります。

★第二章

宇宙に上手に
お願いする法

★「宇宙に上手にお願いする法」まとめ

①まず、小さなお願いから始める
②正しい言葉で願う
③願いごとを書き出す
④すでにかなったように振る舞う
⑤感謝する
⑥疑わず信頼する
⑦願いを人に話さない
⑧偶然を受け入れる
⑨直感に従う
⑩本当に大切な願いを見つける

★願いましょう。そして、すべての奇跡を受け入れる心の準備をしましょう。

正しく願うための手引き

「上手に願う方法」をまだご存じでない読者のために、また、すでにご存じの方には復習していただくために、願うときにもっとも気をつけなければならないことを短くまとめました。以下に書かれた事柄は、これから先も本書の中でたびたび取り上げていきます。

①まず、小さなお願いから始める

小さなことをいくつも成功させることによって、「願えばかなう」ということを理性に納得させるのです。成功は、さらなる成功を引き寄せるための鍵《かぎ》です。いくつも成功を重ねれば、大きな願いごとにも挑戦できます。

②正しい言葉で願う

現在形でお願いしましょう。未来形ではありません！「裕福です」であって、「裕福になりたい」ではありません。そうでないと、私たちは「～である」の状態ではなく、「～が欲しい」状態をつくり出してしまいます。

願うときには否定形は用いません。否定形を使うと、避けようとしていることを、反対にすべて引き寄せてしまいます。なぜなら、私たちが否定的な思いのエネルギーを送ってしまうからです。

ここには自然の原理が働いています。すなわち、似たもの同士が互いを引き寄せ合うという原理です。私たちは、口にしたり考えたり感じていることを、いやおうなしに引き寄せてしまいます。不安は、避けようとしているまさしくそのエネルギーを引き寄せます。「病気になりたくない」というのも、「病気になる」という願いのエネルギーです。「ない」状態をもたらすことはできないからです。私たちは、何かをつくり出すことはできても、「ない」状態をつくり出すことはできません。「つくり出さない」と考えただけでも、そのつくり出したくない結果がもたらされてしまいます。なぜなら、びくびくしながらつくり出したくないことを考えているからです。そうすると、反対に望んでいないことを避けられなくなります。しかし逆に、何かをつくり出してもらうことはできます。そのためには、ポジティブな姿勢で取り組まなければなりません。

「健康でありますように」――この願いはシンプルではっきりしています。これで、病気ではなく、健康という願いに取り組んでいることになるのです。

はっきりと、簡潔に、的確に表現します。願いがはっきりと表現されていればいるほど、リクエストは正確にかなえられます。明確で短く表現することで、願いの核心に踏み込むことが要求されるのです。二つ以内の文章で短くまとめられれば、本当に望んでいることは何かが自分でもはっきりしてくるはずです。

③願いごとを書き出す

願いを記すことは、自分の願いを宣言することです。願いは記されたときから形をとります。それは、私たちのはっきりとしたゆるぎない意志だからです。

さらに、書き記しておけば、願いが届いたときに、振り返ることができます。自分が本当に望んでいたのは何だったのか、心の底から望んでいるものを手に入れるために、どのようにリクエストの文面を修正しなければならないのか、あとから確認できて、便利です。

④すでにかなったように振る舞う

私たちが願っていること。本当は、私たちはすでにそれを手にしているのです。私たちは、ポジティブな方法でこれから手に入れることに心の準備をし、わくわくしながら調子を合わせることで、自分自身に正しいエネルギーをもたらしています。そうやって、実際に願ったことを人生に引き寄せているのです。

⑤ 感謝する

感謝の心で喜ばしいことを増やしましょう。それには、日々の出来事でうまくいっていることに目を向けてみることです。そして、それらに感謝することが大事です。感謝の気持ちが向けられたほうにエネルギーは吸い寄せられ、そうすると人生にすでに存在している喜ばしいことが増えていくのです。

感謝は願いを現実のものとしてくれます。感謝は、祈りの最後の言葉「アーメン」と同じような働きをもっています。アーメンは「まことにそのとおり！」という意味の言葉です。祈りと願いのエネルギーは、とてもよく似ています。どちらの場合にも、私たちはより高いところにあるものに呼びかけ、答えを求めています。そして最後には「アーメン」、あるいは「ありがとうございます」という感謝の言葉で締めくくるのです。

感謝は、すべての疑念と不安を取り除いてくれます。そのおかげで、私たちは信念をもって、願いがかなうのを待つことができるのです。日常生活において、私たちはすでに行われたことに対しては、「……してくれてありがとう」と感謝します。同じように、これからかなえられる願いに対しても、前もって感謝しましょう。感謝によって願いを確認し、確かなものにするのです。それは、書類にサインするようなものです。

⑥疑わず信頼する

疑いは、それ自体が一つのはっきりとした願いなので、実際にかなえられてしまいます。疑っていると、本当の願いを発信しても、その願いを呼び戻してしまうのです。よく、願いと並行して「どうせうまくいきっこないさ」という言葉を発したり、考えたりします。しかし、これもまた願いが発信されたことになります。つまり、「うまくいかない」ということを期待したことになるのです。すると何が起こるでしょうか？　このネガティブなメッセージがそのまま届いてしまいます。私たちの願いはいつでもかなえられます。しかし、たいていは失敗という形で願いがかなえられてしまうのです。成功を信じない人は、成功できません。ですから、願いはかなうと信じましょう。

⑦ 願いを人に話さない

自分の願いを他人に話すと願いの力が低下してしまいます。しゃべりすぎたせいでエネルギーの力がなくなってしまったり、願いに敵対する人、嫉妬《しっと》する人、疑う人などを呼び寄せ、信じる気持ちにゆらぎが生じてしまうからです。

⑧ 偶然を受け入れる

願いがどんな方法で届けられるのかを予測することはできません。なぜなら、願いはほとんどいつでも、絶対にありえないと思われる方法でかなえられるからです。ですから、願いはかなえられる、とただ心の準備をして待っていればよいのです。宇宙はいつでももっとも早くて簡単な方法を探し出してくれます。しかし、それがどんな方法なのかは私たちにはわからないのです。

⑨ 直感に従う

すべてはエネルギーの問題です。そのため、ときには願いが直接届かずに、届けられた願いが見つかる場所へ導かれることもあるのです。ですから、願いを発信したら、アンテナを張りめぐらせておくことが肝心です。そうすれば、必要な情報はすべて手に入るでしょう。そのためのもっとも賢いやり方は、直感を利用することです。自分の直感とつながりをもちたいなら、思いつきを行動に移すのみです。

⑩ 本当に大切な願いを見つける

自分にふさわしい願いは何でしょう？　これはとても重要なことです。自分の性格や能力に合っていないことを望むのは、意味のないことです。それでも、ほとんどの人は、身分不相応のことを願ってしまいます。他人が望んでいるから、あるいは他人がもっていて自分にはないから、という理由で何かを望むことがしばしばあります。また、私たちは、自分にはまったくふさわしくないものを追いかけていることがよくあります。願う前に、自分の人生に本当に必要なものは何か、を明確にする必要があります。その願いがかなえば、本当に満たされ、まわりの人からも愛され、幸せになれるのでしょうか？　かなえられた願いの一つひとつによって、生活が変わっていきます。ですから、本当に、変化を受け入れる準備ができているか、よく確かめなければなりません。幸せになるための本当の願いは何か、よく考えてみましょう。**願いましょう。そして、すべての奇跡を受け入れる**

心の準備をしましょう。

二〇〇七年のはじめ、ミュンヘン近郊の小さな町で講演を行ったときのことです。ひとりの女性が目を輝かせながら座っていました。その方は、『宇宙に上手にお願いする法』に深く感銘を受け、願いはかなうと確信をもっていました。そして、遠くオーストリアのチロル州から、十七名もの友人を率いて、わざわざドイツまで来てくださったのです。私はそれを知り、彼女にいったい何が起こったのか、興味がありました。すると、私と参加者のみなさんに、次のような体験談を大変熱心に披露してくださいました。

母娘そろって車を手に入れる

チロルから来られた女性は、『宇宙に上手にお願いする法』を読み、そこに書かれたとおりに願ってみました。一番大きな夢は車でした。彼女にとって一番簡単なお願いの仕方は、欲しいものを手に入れた状態を感じるというやり方でした。そこで、彼女は欲しい車を思い描きました。頭の中で、車の中に座りました。色、モデル、装備もしっかりと思い浮かべ、うきうきしながらＣＤプレーヤーのスイッチを入れるところを想像しました。小さなエンジン音を聞き、車を走らせ、レザーシートの香りをかぎ、喜びに浸りました。すばらしい車を手に入れると、どんな気分がするかを味わっていたのです。

すると驚いたことに、自動車販売店のショー・ウインドーに、思い描いたのとまったく同じ車が展示されたのです。それも、同じモデルで同じ色、装備もまったく同じなのです。車を買えるだけのお金はありませんでしたが、夢は形となってすぐ近くに存在していたのです。さらに、信じられないようなことが起こりました。なんと、まったく予期せぬことに、彼女の友人がお金をくれたのです。しかも、車の販売価格とまったく同じ金額です。驚くべきことは、この友人は、彼女の願いについては何一つ知らず、それなのに、彼女が必要としている金額をプレゼントしたということです。

さて、これで話が終わったわけではありません。

はじめは「上手に願う」ことを疑い、お母さんが瞑想《めいそう》している姿をちょっと「怪しい」と思っていた娘さんでしたが、お母さんがこのように車を手に入れると、とても驚き、願いの力を信じるようになりました。お母さんがうまくいったのだから、私にだってできるわ、という思いで、自分も車をお願いしてみることにしました。

彼女はお母さんに願い方を詳しく説明してもらい、同じように願いごとを思い描き感じてみました。思いの中ではすでに車を所有していて、レザーシートの香りをかぎ、ギアチェンジをし、車を走らせ、ドライブしました。想像することによって、彼女は「すでに車を手に入れた」という波動を引き起こしたのです。宇宙はできるだけ早く、波動と現実を一致させなければなりません。それから数週間もしないうちに、娘さんも車をプレゼントされたのです。しかも、彼女が思い描き、これだと信じていた車でした。

ふたりにとって、これは奇跡ではなく、願いの力の証明なのです。

★第三章

得意な方法でお願いしよう

★人によって、願いを効果的に表す方法は異なります。

★成功の体験を積み重ねるうちに、理性も「願いはかなう」と納得することになるのです。

あなたはどんな願い方が得意ですか？

私たちは、それぞれ得意なことが違います。日常生活でもそうですが、お願いの仕方も、人によって得意な方法が異なります。

ですから、自分にとって難しく感じられるような方法でお願いするのはやめましょう。欲しいものやかなえてほしいことを気軽にお願いすることが大切です。最悪なのは、力ずくで手に入れようとすることです。願うときに窮屈さや不安を感じたり、お願いの言葉を無理やり引き出そうとしているのであれば、その願い方はよくありません。自分に一番合っている方法を、もう一度よく考えてみましょう。あなたの思いを願いの方向に向けるのに、もっとも簡単にできると思われる方法はどれですか？

人によって、願いを効果的に表す方法は異なります。思い描くことが得意な人もいれば、願いはかなう、とひたすら信じるほうがたやすいという人もいます。また、疑いをもたないようにすることが上手な人もいれば、言葉で表現するのが得意だという人もいます。

そろって車を手に入れたお母さんと娘さんの得意な願い方は、言葉で表現したり、願ったことを忘れるという方法ではありませんでした。ふたりとも、手に入れたときの状況を想像することによって、もっとも強い力が発揮されたのです。願った状況を具体的に思い描くことの長所は、手に入れる前の段階で、喜びがすでに大きく育っているということです。喜びはとてつもなく大きなエネルギーを発し、私たちの願いを実現してくれます。

どんな願い方が自分に合っているのかよくわからないときには、いろいろな方法で試してみましょう。大切なことは、違和感がない、ということです。「上手に願う」ことを始めたばかりの段階では、まだ自分の中に願うことへの勘が十分に働かず、何十年もかけて培ってきてしまった疑いがしょっちゅう顔を出し、願いがかなえられる邪魔をするかもしれません。

このような場合にもっとも効果的なのが、〝アファメーション（自分を肯定すること――宇宙へのお願い言葉／49ページ参照）〟です。アファメーションはポジティブに働きかけてくれる固定観念のようなもので、潜在意識だけでなく、私たちを取り巻く状況にも影響を及ぼしてくれる、自分を肯定する言葉です。アファメーションは、一種の自己暗示ですが、実際に使ってみると、いかに効果があるかわかります。自分に欠けているものが補え、いかに自分の人生が好転するか、すぐに確認できるはずです。アファメーションのポジティブなエネルギーが、私たちの人生への考え方を変化させるのです。

あなたはどんな願い方が得意でしょうか。信頼することでしょうか。願ったことを忘れることでしょうか？　それとも、思い描き、願いがかなったときの状況を感じることでしょうか？　あるいは、言葉で表現する、疑いをもたないようにする、または、願いをくり返し唱える方法でしょうか。はじめは、自分にとって簡単だと思える方法でお願いしましょう。

大切なことは、願ったときに違和感がなく、自然に力と喜びがわき起こってくることです。ポジティブな感情がわき起こるようになれば、気軽に他の方法で願うこともできるようになるでしょう。

うまくいかないからといって、ショックを受けないでください。自分の考え方を一瞬にして根本から改めることなどできないのですから。理性に対し、寛大になってください。理性もはじめは困惑していることでしょうから、ポジティブな考えに切り替える時間を与えてあげましょう。

私の妻ミヒャエラも、はじめてお願いがかなったとき、思いの威力にショックを受けました。そして、お願いするのはもうやめよう、と考えていました。ありえないことが起こり、理性が驚いていたわけですが、こうした**成功の体験を積み重ねるうちに、理性も「願**

いはかなう」と納得することになるのです。

抽選でレコードを当てる

子どもはみんな、いろいろなことを願い、ただ何となく夢見て、できれば欲しいものをすぐに手に入れたいと思っているものです。私は子どものころ、願いごとはすべて空想の世界で「でっちあげ」、手に入れたときのことを想像して楽しんでいました。けれども、それはただの夢でしかありませんでした。

あるときラジオを聴いていると、大好きなポップ・グループ「ABBA（アバ）」のＬＰレコードの抽選が行われることになりました。そこで私は、自分の思いの力がどれほどあるのか、試してみようと考えました。私はハガキに合言葉を書くと、放送局へ送りました。それから毎日、郵便配達人が呼び鈴を鳴らし、私にレコードを届けてくれるところを、気持ちを集中して思い描いてみました。いつも同じ映像を思い浮かべていました。そして、本当にそれが現実となり、待ちに待ったレコードを受け取ったときには、とても驚きました。それは偶然にちがいない、自分にそんな力があるわけない、と思いました。

その後もう一度、挑戦しました。私は、再び抽選があるまでラジオを聴きつづけました。次のレコードは、そんなに好きなものではありませんでしたが、応募してみることにしました。私はもう一度、ハガキに合言葉を書き、ポストに投函しました。それから来る日も来る日も、思い描いて待っていると、郵便配達人が玄関の呼び鈴を鳴らし、レコードを持ってきたのです！　私はびっくりしてあまりにもショックを受け、こんなことはもうやらない、と思いました。この体験は、当時十歳だった私にはあまりにも強烈で、自分は少しおかしいのではないかと思ったくらいでした。

★第四章

お願い言葉の唱え方

★信念がポジティブな方向に変化すれば、願いごとが人生に引き寄せられます。

★ポジティブなことを考えていれば、他の考えが入り込む余地はないものです。

さまざまな種類のお願いに対応できる願いの言葉はないか、という質問をたびたび受けます。答えは、ＹＥＳです。願いは一つひとつまったく違うものですが、広い範囲で効果を発揮する包括的なお願いの言葉が存在します。それは〝アファメーション〟と呼ばれているものです。

アファメーションとは宇宙へ命令するお願い言葉

アファメーションとは、自分自身を肯定することであり、宇宙へ命令する「お願い言葉」です。アファメーションは、私たちを特定のエネルギーの流れの中へ導き、私たちが招き入れたいすべてのことを実現します。アファメーションは、一見、物事をポジティブに表現した言葉にすぎませんが、実際には大きな効果があります。アファメーションにより、私たちは、ネガティブな固定観念（いつでもわき上がってきては幸せを断ち切ってしまう疑い）を見きわめ、意識的に自己を肯定することによって、自分に欠けている点を補います。それによって、私たちの人生は変化するのです。つまり、何度も思いめぐらし、唱えられたアファメーションは、私たちの意識の深いところへ潜り込み、私たちの根本的な考え方を変化させ、ついにはポジティブな信念をもてるようにしてくれるのです。私たちが信じていることは、常に実現されます。ですから、私たちの**信念がポジティブな方向に変化すれば、願いごとが人生に引き寄せられます。**そのためには、アファメーションを絶えずくり返すことが一番の近道です。アファメーションを口にするときは、目標に向けてエネルギーを集中します。実際、アファメーションは私たちの人生に奇跡を起こすための鍵《かぎ》なのです。

各章に、テーマに沿ったアファメーションをお願い言葉として載せました。多くは、私自身も使ってみて、とても効果のあったものです。一番効果的なのは、唱えたあとにあなたの願いを映像で思い浮かべてみることです。短編映画のように、願いがかなった様子を思い浮かべ、あなたがつくり出したエネルギーの中に、できるだけ長く浸ってみてください。再び疑いがわいてきたら、もう一度、お願い言葉をくり返してください。すぐに願いのエネルギーが呼び戻されることでしょう。

自分に合ったお願い言葉で！

各章ごとに、いくつかのお願い言葉を紹介します。でも、すべてがあなたに合っているとは限りません。逆に、抵抗を感じるものがたくさんあるかもしれません。あなたにとってもっともしっくりするもの、もっとも抵抗を感じないものを選び出してください。一番いいのは、いろいろ試してみて、どのお願い言葉がもっとも力があるか、自分で見つけることです。重要なことは、あなたがお願い言葉の内容は真実だと感じられること、お願い言葉があなたに心地よさをもたらすことです。

お願い言葉を心の中で静かに、あるいは声に出して唱えてみましょう。そして、あなたの中に芽生える自信を感じ取りましょう。この願いの言葉を呪文《じゅもん》のようにくり返してもいいですし、願いに十分力が備わったと思えれば、一度だけでもかまいません。ただし、疑いに支配されているときには、力と安らぎを感じるようになるまで、お願い言葉をくり返します。

肝心なのは、願いを妨害するエネルギーを発信しない、ということです。疑いは、私たちの本来望んでいることを逆方向へ導いてしまうような、とても強い感情のこもった願いですから、本来の願いの言葉をくり返し唱え、自分の行くべき方向を確認したほうがいいでしょう。このような方法で、本来の願いに波動を合わせ、疑いが入り込むすきを与えないようにします。**ポジティブなことを考えていれば、他の考えが入り込む余地はないものです。**

あなたが言葉で表した願いは、はっきりとした命令です。一番いい方法は、寝る前と、目覚めたときに願いの言葉をくり返し唱えることです。願いごとを唱えながら眠りにつくと、潜在意識があなたの願いを夜通し支えてくれます。夢に出てくるかもしれません。このとき、願いがかなうというあなたの思いは、多くの場合、解放され、不安を感じることもなく、安らぎを与えてくれます。起きているときのように、さまざまな考えに影響を受けることもなく、あなたの体の隅々までスムーズに、願いの情報が行き渡ります。一度試してみてください。すぐに違いがわかるはずです。こうすると、目覚めることが心地よく感じられるようになり、自分の願いがかなえられるために準備が進んでいることがどんなにすばらしいかに気づくことでしょう。さらに一日の始まりに一、二分、静かに自分の願いに集中し、ふさわしいお願い言葉を唱えてみましょう。それによって、ポジティブなエネルギーが一日中あなたに寄り添ってくれることでしょう。こうして、あなたはほとんどの時間を願いの波動とともに過ごし、安定したエネルギーを発信することになるのです。

もしかしたら、こんなふうに聞かれるかもしれません。どうしてそんなに落ち着いて微《ほほ》笑《え》んでいられるのですか？　どうしてそんなに楽観的なのですか？　と。これは、「上手に願う」ことのすばらしい二次的な効果です。私たちはあっという間に機嫌がよくなり、もはや悲観的なものの見方をしなくなり、うきうきしながら、願いがかなうことを待ち望むようになるのです。

お願い言葉は、ネガティブな思考を防ぐ

誰でも経験があると思いますが、ネガティブな考えは、まったく前ぶれもなく突然脳裏に浮かんできます。私たちは、それを無視していればいいものを、わざわざ追いかけ、問題をどんどん大きくしてしまいます。

私の場合を例にあげてみます。

「今、原稿を書かなければ、締め切りに間に合わないだろう。そうでなくてもすでに遅れているというのに。徹夜しないと絶対に間に合わない。しかし、プレッシャーがかかるといいアイデアは浮かばない。ひどい内容になってしまう。そうなれば、出版社も不満だろ

うし、本も売れない。私はさんざんな評価を受け、今後どこの出版社からも相手にされなくなってしまう。そして仕事を失う。稼げなければいろいろな支払いもできなくなってしまう。そうなると、今住んでいる家も引き払わなければならないし、娘の学校の授業料も納められなくなってしまう。つまり、すべてがメチャクチャになってしまうのだ」

私たちは、このようなネガティブなことを次々と考え出し、自分は役立たずだ、すべてを失うだろう、望みのない状態だ、と納得するまで続けます。このように、ある状態に対し、瞬間的に感じることを自動思考といいます。しかし、思いのエネルギーは常に実現に向けて進むので、ネガティブな自動思考の流れは、最初の段階で止めてしまったほうがいいのです。そのようなネガティブな思いは、あっという間に凝り固まった信念へと成長し、あとになってからいくら取り除こうとしても容易ではありません。さらに、そのような思いは、多くの場合、とても感情的なものなので、大きな力をもっています。ネガティブな自動思考は、私たちがふだん何気なく使っているちょっとした言葉にも表れることがあります。たとえば「あらあら、なんてことでしょう」というような言葉がその例です。

ネガティブな考えは、私たちの願いを実現するには、役には立ちません。ですから、そこに、さらにエネルギーを注ぎ込んではならないのです。自分の中に新鮮でポジティブな力強いエネルギーを感じるまで、お願い言葉をくり返すのが一番いい方法かもしれません。なぜならこのエネルギーは、私たちの願いが待っているところへ、私たちを導いてくれるからです。私たちは、思いを常にポジティブな方向へ向けることによって、自動思考を利用することができます。そうすれば、いつの日か、まったく自動的にポジティブな考えが連続的に発生することになるでしょう。

お願い言葉を唱えるときには、プレッシャーをかけず、楽しみながらやってみましょう。プレッシャーをかけても抵抗しか起こりません。プレッシャーをかけられると、リラックスできませんし、気楽にもなれません。強引に何かを起こそうとしても、自分の願いのエネルギーを信じないという指示にしかなりません。プレッシャーがかかっているときというのは、たいてい、私たちが欠点など、何かある状態から逃れようとしているときで、そのような場合、願いは緊張状態にあります。

ですから、ただ願いの力を感じ、願いが実現することを喜びましょう。そうすれば、あなたの考え方の構造全体が変化し、願いの波動とよりいっそう調和することができます。そうすると、だんだんと願った状態になっていきます。疑いの火の粉が舞うときには、自分をその中にゆだねてしまうのではなく、本来の願いの言葉にだけ注意を向けてください。

お願い言葉の唱え方

☆あなたの願いは、お願い言葉をくり返すことでとても強力なものになります。集中すればするほど、くり返せばくり返すほど、願いのエネルギーがゆるぎがないものとなり、安定して発信されるようになります。

☆願いに対してしばしば注意を向けてください。電車の中でも、バスの中でも、また、お昼休みやテレビのコマーシャルの間にも、ちょっと目を閉じて、願いを思いめぐらしてみましょう。

☆就寝前には願いを思い浮かべ、そのときに合ったお願い言葉を唱えましょう。他の意識が眠っている間に、願いのエネルギーをいっぱいに広めるのです。

☆毎朝、願いごとのために二分間は割きましょう。リラックスして座り、お願い言葉をくり返しましょう。

☆お願い言葉は新しいあなた自身です。お願い言葉がもつ力は、他の何よりも強いのです。

☆とくに、疑いがわき上がってきたとき、疲れ果ててしまったとき、打ちひしがれているとき、あるいは、不安になりそうなとき、古いネガティブな考えに引き戻されそうなときには、お願い言葉をくり返しましょう。

☆願いが鮮明に描写されていればいるほど、喜びにあふれていればいるほど、信念は強まり、願いはかなえられます。

☆重要なことは、完全に信じているということです。

☆同じように必要なのは、あなたがお願い言葉の力を感じ取ることです。

☆お願い言葉は心地よく、安心でき、守られていると感じられるものであったほうがいいでしょう。

☆お願い言葉は、肯定する内容で、現在形にしましょう。

☆お願い言葉は、あなたを喜びで満たしてくれるものにしましょう。

マウンテンバイクをお願いする

こんにちは、ピエール！

僕はあなたのセミナーを受けて、意欲がわいてきました。それですぐに願いを書き出し、エネルギーを発信しました。

僕はここ何か月もの間、マウンテンバイクが欲しいと思っていました。希望のモデルもはっきりしていました。あなたのセミナーを受けたあと、僕は夢のバイクを頭の中で思い描き、願いを送りました。すると、ある専門雑誌に、夢に描いたバイクとまったく同じものがあったのです。「すでにかなったように振る舞う」をモットーに、二週間の取り置き期間の条件つきでバイクを注文しました。自転車の価格は一九九九ユーロ。でも、僕はそのときはまだ、お金を用意できていませんでした。それから間もなく、販売店から電話がかかってきました。自転車はすでに入荷しているからいつでも受け取れる、二週間以内に取りに来なければ予約は取り消しになる、と伝えられました。残念なことに、そのときもまだお金が手元にありませんでした。それから一時間ほどして、他のことで振り込みをしようと思い、インターネットバンキングで口座残高を確認しました。僕は目を疑いました。まったくあてにしてなかった二〇〇五年の税金が、二〇四九ユーロも還付されていたのです！　お金を下ろし、販売店へ行き、自転車にスピードメーターをつけてもらって支払いをすると、なんと二〇四九ユーロぴったりだったのです！

願いはまったく正確にかなえられるのですね……。

あなたの著書に、そして、願うという意欲をわかせてくれたことに感謝しています。

ライナー

お願いは、木が消えること

木が消える――信じがたい願いではありませんか。木が消えることを願う人がいるのも驚きですが、それがかなってしまうのですから、びっくりです。

親愛なるピエールさん

私たちは古い家を買いました。それ自体は特別なことではありませんが、この家は憧《あこが》れの通りに立っている私の夢の家で、とても美しい庭がついています。とはいえ、かなり荒れているため、まだまだ手を入れなければなりません。しかし、私たちには庭を整備する費用はありませんでした。私にとって最大の「災い」は、庭の真ん中に高さ二五メートルの松の木が立っていることで、そのせいでテラスにもリビングルームにも日がさしません。木を切ってもらうお金もなかったので、宇宙にお願いしました。これまで願ったことは何でもかなえられてきたので、この願いだってかなえられないはずはないと思ったのです。

それから三週間は何も起こりませんでしたが、ある日の午後、ハリケーン級の大暴風がドイツ中を吹き抜けました。私たちが住んでいるところでも、大変な嵐《あらし》になりました。夕方、風に吹き飛ばされたものが窓に当たることを恐れ、ブラインドを下ろしました。轟音《ごうおん》が聞こえたのですが、外で何が起こっていたのかは気がつきませんでした。夜八時ころ、思いがけなく、玄関のチャイムが鳴りました。玄関を開けると、ちょうどオフィスから文字どおり「飛んで」帰ってきた夫と、隣人が懐中電灯を片手に並んで立っていました。ふたりは興奮して大声で言ったのです。「木が、木がなくなったんだ！　消えちゃったよ！」。私は窓辺に駆けより、ブラインドを上げました。すると、たしかに、大きな松の木がなくなっていたのです。しかも、星が見えるではありませんか！　奇跡的にケガ人はなく、家も車もまったく無傷でした。松の木は、建物の間、幅わずか五メートルの空き地に倒れたのでした。

落ち着きを取り戻すと、私たちはその日のうちに保険の書類に目を通しました。というのも、こんな大きな木を撤去するための費用を捻出《ねんしゅつ》することはできないからです。すると、なんと信じられないことに、私たちが加入していた追加保険には、倒れた木を処理する費用も補償されることになっていたのです。

翌朝、私は再び窓辺に立って庭を眺めました。はじめて、窓辺にお日様の光が届きました。そのとき、松の木がすぐになくなるよう、宇宙にお願いしたことを思い出しました。そして、『宇宙に上手にお願いする法』で読んだことを思い出しました。宇宙はいつでも、もっとも早くて簡単な方法を探し出してくれるから、アンテナを張って待っていればいい、ということを。

ザビーネ

★第五章

困ったときこそ冷静にお願いする！

★私たちはいつも、失敗をつくり出すことに成功しているのです。

★思いは目に見えない磁石のようなもので、似ているものをすべて引き寄せます。

★現在は、私たちの過去の思いによってつくり出され、未来は、今現在の私たちの思いがつくっているのです。

失敗を引き寄せるネガティブな考え

大事なお願いがかなえられない。助けてほしい、というメールもよくもらいます。それらのメールをじっくり観察してみると、助けを求めている本人が、切羽詰まっていることがよくあります。ピンチのときには、リラックスすることも、願いがかなうと信じることも容易ではありません。そのような状態で願いのエネルギーを発しても、目の前に迫った不幸のことばかりを考えてしまい、結果として最悪なことを願ってしまいます。そうなると、どういうことになるでしょうか？　似たもの同士は引かれ合います。**私たちはいつも、失敗をつくり出すことに成功しているのです。**

当然のことながら、よくない結果が実現化します。なぜなら、心配しつづけるのも、とても影響力のあるネガティブな願いだからです。不安は磁石のような働きをし、避けようとしているものをかなり高い確率で引き寄せてしまいます。つまり、私たちはいやなものを拒絶することばかり考えつづけ、ネガティブなエネルギーを放ってしまい、その結果、避けたいことを引き寄せてしまうのです。

たとえば、「私は必死にがんばっているのに……」と手紙やメールに書いてくる人は少なくありません。しかし、この「必死になる」という言葉がすでに失敗の原因となっているのです。

また、自らの苦悩や不幸を延々と報告し、最後にほんの少しだけ、本来のお願いをついでのように書いてくる人もいます。手紙の内容の九五パーセントが不安で、心からの願いがたった五パーセントしかつづられていないのです。**思いは目に見えない磁石のようなもので、似ているものをすべて引き寄せます。**

ある若者から送られてきたメールは、次のように書かれていました。「僕はいつもしくじってばかりいます」。どうやったら〝つき〟が得られるようになるのか教えてほしい、というのです。始まりの文がすべてを物語っています。これは、自分を紹介する「名刺」のようなものです。彼の場合、「僕はいつでもしくじってばかりいる」という固定観念のもとに願いのエネルギーを発しているのに気づかず、「ついている」状態にならないのはおかしいと考えているようです。しかし、私たちは自分が導かれるべき目標ではなく、自分が抱えている問題にばかり注意を向けていると、今いる不幸な状況から抜け出すことはできません。なぜなら、ネガティブなことを考えるのは、そのネガティブな状況を自分の願いとしてくり返し宣言し、実現を願っているのと同じことだからです。

今ある状況は、無意識であったとしても、私たちが継続的に強く願った結果つくり出されたのだ、ということを忘れてはなりません。そして、これらの無意識な願いが現実となっても、驚いてはなりません。それが気に入らない結果であったとしてもです。私たちが結果に満足できるかどうか、宇宙にとってはどうでもいいことです。宇宙はそんなことは考慮してくれません。ただ、私たちが願ったことだけを運んでくるのです。ですから、追いつめられぎりぎりの状態になってから、これまでに自分が築き上げてきた現実を急に変えようとしても、そうはいきません。しかし、私たちは自分の人生を今あるものの上に新しくつくり出すことはできます。そして、私たちが考えているよりも簡単に、しかも早く実現できることもあるのです。ですから、次のことを念頭において行動しましょう。

現在は、私たちの過去の思いによってつくり出され、未来は、今現在の私たちの思いがつくっているのです。

もちろん、自分の置かれた状況は実際にあるのですから、消すことはできません。今の状態は事実でない、と否定するわけにもいきません。けれども、私たちは今の状況を変えたいと思っています。だからこそ、一つひとつの思いが自分の未来をつくっているのだ、ということをしっかりと自覚していなければならないのです。「出口は見つからない」「絶対に無理」「どうせいつも同じことしか起こらない」とばかり考えていると、あなたの人生には、そのとおりのことしか起こりません。私たちの人生には、常に私たちの心の内側にあることが現実となって映し出されているのです。つまり、私たちの思いが表れているのです。ですから、願いを成功させるためには、障害となるものを見きわめ、それをなくすことが大切です。私たちが欠けた状態に生きているとすれば、私たちの考え方は欠けているもののほうに傾いているのです。私たちが避けられないと思っていることは、まず、私たちの内側で発生します。つまり、心の中に描く映像や日常の行動パターンに現れるのです。そうとは知らず、私たちは自分の人生の方向を思い描いた映像に合わせ、外の世界で実現する機会を常に探しているのです。ネガティブなことばかりを考えつづけたり、そのような感情に頻繁に浸っていると、私たちの思いは実際の生活でも同じ波動を迎え入れ、行き詰まり、よくない体験をしてしまうのです。

それとは反対に、心の底からポジティブな思いに浸っていると、実際の生活でもポジティブなことを体験します。私たちの観念はポジティブな波動を迎え入れ、幸せや豊かさ、善意ややさしさのある世界をつくり出すのです。

＊人生を変えたいのなら、過去のことはすべて手放し、かかわらないことです。変えらないことに執着するのはやめましょう。

＊愚痴をこぼす、不公平だと思うのはやめましょう。こういう考え方や発言は、あなたの立場をいっそう悪くするだけです。

＊今の状況が気に入らなくても、しっかりと向き合いましょう。それは、あなたが長い間、思いめぐらし願った結果なのです。

＊自分自身のこと、他人のこと、そしてあなたの置かれた状況をネガティブに考えるのはやめましょう。

＊自分のことを評価したり、批判するのはやめましょう。

＊実現したいことだけに集中しましょう。

＊あなたの願いの力を信じましょう。

＊願いがかなった状況を、何度も思い描いてみましょう。
＊願いがかなった状況を、現在のこととして感じてみましょう。
＊ポジティブな思いの比重が高くなるようにしましょう。
＊明るく過ごしましょう。たとえそんな気分になれなくても、明るくしていると、ポジティブな思いが生まれます。ポジティブな思いは、力強いエネルギーを外に向かって放ち、それによって早く願いがかなえられます。
＊ゆるぎない信念をもって、以上のことを実行しましょう。

けっして心配ごとにかかわりつづけてはなりません。それによって、私たちは今いる状態から抜け出せなくなってしまうからです。あなたが今いる状況に、関心を示す必要はないのです。今の状況はよくないかもしれません。とても深刻な状態かもしれません。しかし、誰もあなたをそこから救い出すことはできません――できるのは、あなた自身だけなのです。さあ、たった今から考え方を改めましょう。あなたの現在の状況は、すべてあなた自身が考え出したことなのです。たとえそんなこと望んだ覚えもなければ、わざとそういう状況をつくり上げたわけではなかったとしてもです。他の状態を引き起こしたいのであれば、あなたの思いの力を働かせましょう。それも、意識的に。自分の人生を、これ以上無意識な思いや過去からの観念にゆだねるのはやめましょう。あなたの今の状態が悪くても、希望がまったくないように思われても、ネガティブな言葉や行いで現在の状況を固定してしまってはいけません。あなたがそこから解放されたいと望むのであれば、ポジティブなことを見つけ、できるかぎりそれに取り組むことです。

私もポジティブなことに取り組んだ結果、二年間で家のローンを完済し、多額の借金から解放され、私の生活は完全にポジティブな方向へと変化を遂げました。

願いの力で最悪の危機を乗り越える

これまでの人生で、すべてを失ってしまったと思われるような時期がありました。

それは、何もかもが希望に満ちていたときの出来事でした。私は新築の家を買い、ちょうど引っ越そうとしていました。家は外装も内装も仕上がっておらず、ローンもまったく支払っていない状態でした。けれど、私はそのころかなり稼いでいたのでローンはすぐに返済できるだろう、家の内装も完成していないけれど、ドアも窓もついているし、暖房も入っているから何とか気持ちよく暮らせるだろう、と考えていました。

クリスマスの二日前、私は大きなトラックをレンタルし、家財道具をすべて積み込みました。そして、友人を乗せて私の運転で出発したのですが、数キロ走っただけで目的地には到着できなかったのです。引っ越しでの疲労がたたり、集中力に欠けた私は、全速力で小さな町の中を走りぬけようとしてしまいました。猛スピードで走るトラックは、曲がりくねったカーブでバランスを失い、横転して民家の塀に突っ込みました。奇跡的に、私だけは無傷で無事でした。けれども、同乗していた兄と私の親友は重傷を負い、ヘリコプターで病院に運ばれていきました。大破したトラックがクレーン車で引き起こされ、荷台の扉を開けたときには、家財道具はすべてぺしゃんこに押しつぶされ、廃物と化していました。ピアノも絵画もレコードも、テレビや家具、ランプシェードやスタンド、そして自転車も、何もかもがその日のうちにゴミ処理場に直行してしまったのです。

運命のいたずらか、さらにひどいことになりました。それから二週間後、私が自分の車を運転していたときのことです。前から一台のトラックが走ってきました。対向車線を走るトラックと私の車がすれ違う瞬間に、轟音《ごうおん》とともに大きな氷の板がトラックからすべり落ち、私の車のフロントガラスを突き破ったのです。私は顔に重傷を負いました。顔面が傷だらけになっただけでなく、鼻は骨折し、左目の視力も弱くなってしまいました。こんな状態では俳優としても働けません。家財道具もすべて失い、莫大《ばくだい》な家のローンを抱え、私は絶望的な気持ちで新居のコンクリートむき出しの床に座っていました。これ以上堕《お》ちようがないと思われるほどどん底の気分でした。

ところが、さらに堕ちたのです。それから数日後、引っ越しのトラックを借りたレンタカー会社から、重過失で訴えられました。スピード違反で事故を起こしたため、数百万円の賠償金を支払え、という内容でした。それから少しすると、検察による傷害に対する処分も受けました。しかし、それで終わったわけではありませんでした。それから二週間もしないうちに、さらにもう一度事故を起こしてしまいました。私は車から降りるとき、後方から来る車に注意を払わずドアを開けてしまったのです。そして、乗っていた車と相手の車を破損させてしまいました。私には車を弁償することはもちろん、最低限の家具を買うことさえできませんでした。そこへ追い討ちをかけるように、私にはローンの返済能力がないのではないか、と銀行が心配しはじめたのです。

普通に考えれば、この絶望のどん底から抜け出す方法はありませんでした。けれどもそれから二年後、すべては逆転しました。賠償金も家のローンも完済し、負債はなくなりました。

何が起こったのでしょうか？　どん底にいたからこそ、自分で浮き上がる方法がなかったからこそ、私は集中的に願ったのです。私は思いの力を信じていました。私は、放ったエネルギーを信じていました。そして、ただポジティブに考えていた結果、人生でもっとも輝かしい二年間がもたらされたのでした。

顔に負った傷は、傷跡一つ残すことなく四週間後には完治しました。医者にとっては、説明のつかない奇跡でした。左目の視力もすっかり元どおりに回復し、眼科医にとってもそれは謎《なぞ》でした。折れた鼻の骨もうまくつながり、矯正する必要もありませんでした。耳鼻咽喉《いんこう》科の医師も驚いていました。驚くべきことはまだありました。それから少しして、私は俳優としてこれまでにないほど人気が出て、テレビ番組を一日に三本かけもちすることもありました。さらに、あるテレビドラマに起用されたものの番組は収録されなかったため、キャンセル料としてギャラが全額支払われたこともありました。生活がすっかり元どおりになるまで、こんな調子で二年間が過ぎていきました。私は思いが引き寄せる力を信じ、充実と豊かさ、健康と成功を集中的に願い、それを絶えず思い描いていただけなのです。

幸福をもたらすお願い言葉

☆私の人生は、いつでも変えられます。今日は、まさしくそれにふさわしい日です。

☆私は、今この瞬間を生きています。

☆どんな瞬間も、私の人生は、生まれ変わったように新鮮で、すばらしい。

☆今、私は自分の好きな人生をつくり出します。

☆私の人生に奇跡が起こります。そして、それを受け入れる心の準備もできています。

☆自分の人生は、自分でつくり出せるのです。

☆世の中には、どんなものでも、十分に存在しています。そして、求めるものがもたらされます。

☆成功は、成功を引き寄せます。

☆前向きな人は、前向きな世界で生きているのです。

人生のどん底を乗り越える

こんにちは。

ちょうど一年前、私は人生のどん底にいました。私の経営する会社が倒産してしまったのです。従業員を解雇し、事業所を閉じ、夫とともに失業しました。電気も止められ、手持ちの生活費も二〇〇ユーロしかなく、これからどうしたらいいのかわからないところへ、さらに車まで没収されてしまいました。そんなひどい状態のときに、偶然、あなたの著書『宇宙に上手にお願いする法』に出合いました。この本を読んでから、驚くことにすべてが急変したのです。私は給料のいい立派な職場を見つけ、夫も新たに事業を起こしました。その後、私たちは車を取り戻し、私たちが倒産したときにいっしょに自己破産してしまった私の両親にも援助できるようになりました。あなたの本を読んでから、信じられないようなことが次々と起こり、大変感謝しております。前向きなあなたがいなければ、私はきっと勇気を奮い起こすことはなかったでしょう。

心より御礼申し上げます。

カルメン

★第六章

もっと上手に
パートナーを
お願いする法

★宇宙は、私たちが放ったエネルギーにだけ反応し、そのとおりのものを届けてくれます。

★願いは正しく、手に入れたい気持ちを表現するのです。

★心を開くと、強い磁石のように、引きつける力が出ます。

★心の準備ができていなければ、パートナー探しの意味はまったくありません。

★エネルギーが上昇すれば、どんなお願いでもかなえられるようになります。

★心の中だけでなく、あなたを取り巻く環境にも、相手の居場所をつくりましょう。

★とくに恋愛では、理性の言うことを聞くのはやめましょう。

★あなたの直感は真実を教えてくれます。

★あなたの直感には、兆しや結果を感じる能力があります。

気持ちを思い描く

私たちはみな、共通の大きな憧《あこが》れを抱いています。それは、人生をともにするパートナーを見つけることです。私たちと同じように考え、同じように感じ、寄り添ってくれる人。私たちと似たような長所と短所を備え、ありのままの姿を受け入れてくれる人。もちろん、私たちの愛にこたえてくれる人。つまり、私たちにふさわしいパートナーです。けれども多くの人にとって、この願いをかなえることはとても難しいようです。

理想のパートナーを手に入れることは、私たちの人生において、もっとも重要なお願いなのかもしれません。

セミナーの参加者にパートナーとしての希望を書き出してもらうと、たいていの人は、若い、スタイルがいい、美しい、楽しい、明るい、思いやりがある、やさしい、セクシー、誠実、成功を収めている、スポーツ好き、旅行好き、子ども好き、好奇心旺盛《おうせい》、体を鍛えている、ユーモアがある、賢い、などといったようなことを書き連ね、かなり長いリストを仕上げます。それは驚くことではありません。誰だって、書き落として、自分の希望と違うパートナーを手に入れたくないからです。

このように長々と書かれたリストの短所は、願ったことはすべてかなえられるものの、残念ながら、願ったことだけではなく、よけいなものまで手に入れてしまうということです。一見、願いがかなったように思えるのですが、予想外のおまけもついてくるのです。たとえば、パートナーは、願いどおり明るくユーモアにあふれている人かもしれません。しかしその一方で、物事をまじめに考えない、いい加減な人かもしれません。あるいは、その人は成功を収めた人かもしれませんが、仕事中毒《ワーカホリック》ということもありえます。

もちろん、リストはあとから修正できるので、どんどん細かい情報を継ぎ足し、好きなだけ理想像を書き連ねることもできます。しかし、どんなに細かく描写しても、私たちが思いもよらないようなことが発生します。

願いどおり、成功を収めたパートナーは、一日六時間しか働かないでいいかもしれません。しかし、前のパートナーとの間に子どもが三人いるかもしれません。また、単身赴任で別居生活になることもありえます。さらには、お金の管理が下手な人という可能性もあります。あるいは、プライバシーを尊重してくれない人、おしゃべりでうるさい人ということだって考えられます。

マヌエラさんの願いがかなったときのことを、親友のニコルさんはメールで次のように報告しています。

あふれ出る甘い言葉に憧れた結果

親友のマヌエラは、この五年間シングルでした。『宇宙に上手にお願いする法』を読み彼女は、パートナーができますように、とお願いしました。そして、お願いを次のような文章にまとめました。

「私にはパートナーがいます。年齢は三十歳以上。魅力的で、私よりも背が高く、鍛えられたたくましい体つきをしています。彼は、思いやりがあり、やさしく、あふれ出る愛情いっぱいの甘い言葉でささやきかけてくれます。そして、私たちは一生愛し合うのです」

ピエールさん、あなたなら何が起こったか驚かないでしょうね……。

それから三日もしないうちに、彼女は三十歳の男性と知り合いました。ふたりはあっという間にとても深い関係になりました。マヌエラがすぐに気づいたことは、彼の口からあふれ出る言葉でした。彼女が望んでいたように、彼は甘い言葉を愛情込めてささやいてくれるのでした。しかし何日かすると、あんなに言われるとうんざりするわ、と彼女は私に愚痴をこぼすようになりました。そこで、願いを書いた紙を見せてもらったところ、案の定書いてあったのです。「あふれ出る愛情いっぱいの甘い言葉で」と。マヌエラは、ハッとして驚いていました！　ふたりの関係にはその他にも問題がありましたが、それらは願いを書いたときには予想していなかったことでした。たとえば、願いどおり、彼の体はたくましかったのではありますが、それは生まれつきの体形ではなく、鍛えられたものです。つまり、彼は大変なスポーツ好きで、週末はいつも忙しく、ふたりで過ごす時間がありませんでした。他にも合わないことがあり、結局は別れることになったのですが、別れるときは、大もめにもめました。それもそのはず。マヌエラは、「一生愛し合う」と書いたのですから。

それでは。

ニコル

マヌエラさんは、書き出した願いはすべて手に入れました。けれども、幸せにはなれませんでした。多くの人が、同じような境遇に陥っています。私たちのほとんどは、願いを言葉で表現する際、いいことだけを意図しているのに失敗してしまうのです。マヌエラさんはその後、摩擦のない別れを望み、「成功を収め」再びシングルに戻りました。

セミナーの参加者にリストを書いてもらうと、たいていの人は「やさしい」とか「誠実」というように、自分が望まないネガティブな部分をカバーするような言葉で表現しようとします。たとえば、やさしい人なら怒りっぽくはないでしょうし、誠実な人であれば浮気はしないでしょう。この表現の仕方は理にかなっているようにも思えます。しかし、これらの願いがかなえられたからといって、私たちが幸せになるわけではありません。なぜなら、その人が果てしなくやさしい人だったら、対決をとことん避け、大事なものを勝ち取ろうという欲がまったくないかもしれません。浮気をしない人かもしれませんが、それはインポテンツが原因であるとか、いじけた性格だからかもしれません。このように、私たちが新たに不満に思う要素は、いつになっても存在しつづけるのです。「意欲的でやさしい人」「誠実で性交能力のある男性」「貞節で性欲のある女性」と細かく書いたとしても、私たちには受け入れられないことや、別れの原因となるような要素がいっしょに運ばれてきてしまうのです。どうしてでしょうか？　それはとても簡単なことです。宇宙は、私たちのすべての願いをかなえてくれますが、私たちが言ったり考えたり書いたりした目標だけにしか、焦点を当てていないからです。そして、私たちによって放たれたエネルギーは共鳴の法則に従い、豊富な人材の中から願いにぴったり合ったパートナーを選び出し、ふたりが出会う場所へと導くのです。

「このお願いは倫理的で完璧《かんぺき》だ。助けとなるからかなえられたほうがいい」とか「荷が重すぎる。不幸になるからかなえられないほうがいい」といったぐあいに、私たちの都合に合わせてエネルギーが方向づけられることはありません。宇宙は、私たちをどのようにしたら一番うまく助けられるのか、というようなことは考えていません。私たちの命令することをただ実行します。宇宙は、私たちが願ったことをもっとも早くて簡単な方法で届けてくれるだけなのです。**宇宙は、私たちが放ったエネルギーにだけ反応し、そのとおりのものを届けてくれます。**

　宇宙は、私たちが表現したとおりのものを届けてくれます。ユーモアにあふれた誠実なパートナーを望んだ場合、宇宙は、それに当てはまる人なら「誰でもいい」と理解します。つまり、私たちが放ったエネルギーは、あげられた点すべてがそろっているかどうかを確認し、その状態を運んでくるのです。ですから、ときにはこんなふうに驚くようなことがあります。

ウィーン在住のビルギットさんからの、愉快な報告です。

パートナーは「黒い人」

私は、視野を広げてくれる男性を望んでいました。しかも物静かな「黒人」がいいと、思っていたのです。すると、四か月後、私は結婚紹介所を通じ、一人の男性と知り合いました。それも、彼からのアプローチで知り合ったのです。そして、私の願いは完全な形でかなえられました。この男性のものの考え方は、私の考えとは反対のことばかりだったのですが、おかげで私の視野はどんどん広がっていきました。何よりも私を驚かせてくれたことは、彼の支持政党のシンボルカラーが「黒」だったことです（この政党は保守的で、私はその反対なのですが……）。私たちはすぐに恋に落ち、その後、幸せな結婚をし、かれこれ四年になります。今でもはるか遠くの星からやってきた宇宙人のように、お互いを不思議な存在に感じているのですが、とてもいい関係を築いていています。このような人を、自ら積極的に探すことはなかったでしょう。それにしてもこの私の体験の興味深いところは、具体的にリクエストするときには気をつけなければならない、ということです。なぜなら、〝文字どおり〟に願いはかなえられてしまうからです！　あなたのとてもすばらしい本に感謝しています（私たちはお互いにこの本の読み聞かせをしています）。

ビルギット

ザクセン州ケムニッツ在住のハイケさんは、宇宙が私たちのお願いにあまりにも正確にこたえてくれるので驚いています。

映し鏡のパートナーを望む

私は、「パートナーになる人は自分と同じような人」と、お願いしました。すると、信じられないことに願いどおりになったのです。彼の誕生日は私と同じ日で、しかも、生まれた年も同じです！　そして、彼は私のような人で、あらゆる面で似ているのです。常に映し鏡を見ながら生きることは、私にとってはとても難しいこともあります。けれども、彼は私にとって最高の「お手本」です。上手に願うときの言葉の表現は、大変重要ですね。

ハイケ

以上の体験談からもわかるように、私たちは願っていることを手に入れます。しかも、願ったとおりのことを手に入れます。しかし、パートナーへの願いを細かく描写すればするほど、誤算が生じる可能性も高くなります。なぜなら、ひとりの人間の性質をすべて表現することはできないからです。では、どうやったら望みどおりのパートナーに、幸せにしてくれるパートナーに近づくことができるのでしょうか？　**願いは正しく、手に入れたい気持ちを表現するのです。**

一番いいのは、私たちが心の奥底で憧れている、パートナーにもたらしてほしい気持ちを願うことです。私たちが思い描く願いの背景には、私たちが手に入れたい感情が隠されています。ですから、願いを上手に表現するには、パートナーの容姿や性質はそんなに重要ではありません。重要なのは、その人が私たちにどのような感情を呼び起こしてくれるのか、ということです。ですから、自分の感情的な欲求を知ることが必要なのです。あなたの本当の望みは何でしょうか？　願いの後ろに隠されているものは何ですか？　心の底で憧れていることは？

＊パートナーを願うときには、相手のことより自分に比重をおいて考えましょう。
＊パートナーにどんなことを望んでいますか？
＊思いついたことはすべて詳しく書きましょう。その際、パートナーとの関係であなたが手に入れたい幸せや満足といった気持ちに重点をおきましょう。
＊願いを書くときには、あなたがこうありたいという気持ちを書きましょう。

ここに、例としていくつかのお願い言葉を加えました。自分に合うものを好きなだけ選び、自分のものと感じるようになるまでくり返しましょう。

パートナーを手に入れるお願い言葉

☆私は、新しいパートナーとの関係に、心の底から満たされています。

☆私には、幸せを分かち合うすばらしいパートナーがいます。

☆パートナーとの関係は順調で、とても満足しています。

☆私のパートナーは、自分の願いに完全にかなった人です。

☆私は幸せで、パートナーとの関係に満足しています。

☆私のパートナーは、私のすばらしい面をすべて備えた映し鏡です。

☆愛は、ふたりの絆《きずな》を強める原動力、支える力です。

☆私には、完璧につり合ったパートナーがいます。

探すのはやめて、見つけてもらう

パートナーを探している人は、欠けている世界に生きている人です。それは驚くことではありません。つまり、パートナーがいないと孤独や不満や寂しさを感じたり、拒まれているような気分になるのです。残念ながら、これらの感情から放たれるエネルギーは、絶え間なく外の世界へ送られています。友人や同僚と、パートナーがいないことについて語り合うとします。そのとき、当然のことながら、自分のことをネガティブに観察し、幸せなカップルを見ると自分の不幸を思い出すのです。そして日を追うごとに、それでももしかしたら真のパートナーに出会えるかもしれない、という希望がだんだんと失われ、いつの日か、シングルの状態はとても大きなメリットがある、と信じ込むようになるのです。

そのような思いを心の中に抱えていると、最終的にはそれが現実となってしまいます。なぜなら、私たちは思っていることを形にしてしまうからです。現在パートナーがいないのであれば、この状態をつくり出したのはあなた自身だということを、けっして忘れないでください。たとえあなたがそのことに苦しんでいようが、不幸であろうがです。この欠けた状態のエネルギーを、あなたは絶えず外の世界に送っているのです。「私は不幸で、孤独で、恋愛できない」といった思いの一つひとつに、巨大な願いのエネルギーが備わっており、不幸な状態を現実にします。パートナー探しでよくある誤りは、私たちが〝探す〟ということです。探すことによってもたらされるのは、不足の状態だけです。では、どのように見つけてもらえばいいのでしょうか？　見つけてもらうには、まず、見つけてもらうことに心の準備ができていなければなりません。パートナーを願うときにもっとも大切なことは、心構えをしていることです。パートナーのために心を開くのです。**心を開くと、強い磁石のように、引きつける力が出ます。**

心を開いて受け入れる準備をすると、引き寄せる力が増します。そう言うと簡単に聞こえますが、実際には簡単ではないようです。というのも、多くの人はパートナーを願っていますが、心の奥底では新しいパートナーを受け入れるための準備ができていないのです。過去の心の傷が大きすぎる、ひとりでいることが長すぎた、などの理由でパートナーに心が開けないのです。

多くの人は、ふたりでいることに憧れを感じてはいるものの、同時に、自分の人生を完全に変えなければならない、一から始めなければならない、ふれられたくないことでも明らかにしなければならないことを恐れているのです。そして、自分の殻に閉じこもり、真の愛は自分には許されない、と思い込んでいるのです。しかし、**心の準備ができていなければ、パートナー探しの意味はまったくありません。**

このことについてさらに詳しく知りたい方は、『愛のための幸せの法則（Glücksregeln für die Liebe）』（邦訳未刊）をご一読ください。さしあたり、ここで重要なことは、少しでも早く心の扉を開くエネルギーを見つけることです。そうしないと、私たちは無意識に何でも願ってしまいます。「放っておいてくれ」「もう傷つきたくない」「愛なんてもう信じない」などと願ってしまうのです。ですから、人生にパートナーを招き入れたいのであれば、確固たる信念をもち、将来のパートナーに気持ちを楽にして心の扉を開くことが欠かせません。「満たされたパートナーとの関係を築くための準備はできている」ことが、もっとも大切なのです。

次のお願い言葉を用いると、私たちを邪魔する潜在的なエネルギーがすべて取り除かれ、同時に、とても力強いエネルギーが外の世界に放たれます。そして私たちは、はつらつとしてきます。

パートナーのために心を開くお願い言葉

☆私は、パートナーとすばらしい関係を築く準備ができています。

☆私は心を開いています。そして、人生に訪れる愛を受け入れます。

☆私は、自分への愛とパートナーへの愛を受け入れる準備ができています。

☆私には、すばらしいパートナーに寄り添ってもらえる資格があるのです。

☆私は、親密な関係を受け入れる準備ができています。

☆あなたを心から歓迎します。

☆私は、ありのままの自分、ありのままのパートナーを受け入れます。

☆私は心を開いています。そして、愛の力を受け入れる準備が十分にできています。
☆私のパートナーは、今この瞬間にも、私と同じように、すばらしい関係を築く準備ができています。

自分の姿は自分でつくり出している

「自分で思う自分の姿は、将来のパートナーが感じる自分の姿だ」。こう言われると、奇妙な感じがするかもしれません。しかし、私たちの人生に現れるパートナーがどんな性質をもっているか、自分自身を観察してみるとすぐにわかるでしょう。

その人は、自分と似ている面をたくさん備えていることでしょう。なぜなら、パートナーを選ぶとき、私たちはいつでも自分に共鳴する人を引き寄せるからです。宇宙全体には、常に引き寄せる力が働いているので、私たちは自分にふさわしいものしか引き寄せられないのです。つまり、自分が考えていることだけを引き寄せるのです。とくに、自分自身について思っていることも引き寄せてしまいます。私たちが放ったパートナーへの願いは、エネルギーの招待状のようなもので、自分と同じ波動をもつすべての人に届きます。つまり、自分のこと、パートナーのことを考えているその瞬間に、私たちはダイレクトメールのようなものを送っているのです。孤独で不幸だと感じていれば、そのようなエネルギーを発信します。そうすると、そのような申し出に反応するのはどんな人でしょうか？　当然のことながら、それは、自分も孤独で不幸な人や、そういった気持ちをさらに強めてくれる人です。そのような人ばかりが私たちのエネルギーに反応するのです。また、コンプレックスをもっていると、それも願いのエネルギーとして放たれます。それは、無意識のうちに、その考えは正しいと証明してくれる人が現れるのを待っている状態でもあります。そうなると、パートナーは私たちのことをネガティブにしか考えてくれません。自分のことをポジティブに思っている振りをしてごまかしても無駄です。しかし、自分自身のことをすばらしいと心から思えれば、相手も自分のことをすばらしいと思ってくれます。自分は魅力的だと感じれば感じるほど、相手もそのように感じてくれます。ですから、共鳴の法則を振り返る習慣をつけましょう。同じものは常に引かれ合うのです。

結婚紹介所などで自分を紹介するときに、自分のことを「私は能力が低く、魅力がない。

過去にパートナーとの関係に四回失敗し、貧乏なうえに人生うまくいっていないし、どのみち誰も私なんか選ばないだろう」とは言わないでしょう。そのような自己紹介をしたら、よい返事をもらうことは難しいですよね。たいていの人は自分を宣伝するときには、自分の長所だけを強調します。お願いするときにも、それとまったく同じことをすればいいのです。

＊願うときには、自分のよい面だけを見つめましょう。

＊それを強調しましょう。願うときに自分のすばらしい面を強調し、その部分をパートナーとの関係で強みとして使うのです。なぜなら、あなたはあなたの能力に反応してくれるパートナーを引き寄せるからです。そのことだけに集中し、エネルギーを強めましょう。そうすれば、あなたは最高の自分をプレゼンテーションできるのです。

＊自分が放ったエネルギーで願っている、ということを忘れないでください。

＊すべては引き寄せの力が働いています。

＊同じものは引きつけ合います。

さらにここに、お願い言葉を用意しました。自分に合ったものを選び、自分のものになるまでくり返し唱えてみましょう。それによって、どのように願いのエネルギーが上昇し、変化するかを感じてみましょう。**エネルギーが上昇すれば、どんなお願いでもかなえられるようになります。**もちろん、理想のパートナーも現れます。

エネルギーを高めるお願い言葉

☆私は愛のまなざしを向けます。私が出会うすべてのことは、私にとって、最良の道です。

☆私は魅力的です。そして、日に日に自分のことを好きになっていきます。

☆ありのままの私は魅力的です。

☆私は自分の人生を愛しています。そして、自分の存在に豊かさを感じています。

☆自分を愛することで、自分と同じ視線で見守ってくれる人を引き寄せます。

☆私の愛が外の世界にシグナルを送ります。

☆私は特別な存在で美しい。私のパートナーも特別な存在で素敵な人。私たちの愛はお互いの美しさ、すばらしさを映し出すのです。

パートナーがいるかのように振る舞う

大好きな人に振り向いてもらいたいとき、どのようなことをするでしょうか？　とびきりの服を着て、おめかしし、うっとりした気分になるのではないでしょうか。特別な気分になったり、気持ちが高揚したり、幸せを感じたりします。そして、心を開いて愛を招き入れる準備をすることでしょう。この気持ちとまさしく同じものを取り入れるのです。憧れのパートナーが現れるための心の準備をするのです。今、パートナーが自分に会いに来るところであるかのように振る舞います。そういうエネルギーや、喜びと幸せの気持ちを外に向かって放ちます。願いのエネルギーに集中し、自分が恋愛しているかのように過ごすのです。自分が本当に手に入れたい気持ちを感じてみましょう。将来のパートナーとの共同生活で必要なもの、不必要なものを整理し、部屋を片づけしましょう。他人には見せられないような恥ずかしいもの、段ボール箱に隠してしまいたいもの、すぐに捨てなければならないもの。パートナーとの生活にはいらないもの、自分ひとりのためにしか必要でないものがどれほどたくさんあることか。あなたはきっと驚くはずです。自分のためだけに存在するそれらすべてのものが、自分はシングルであるという気持ちを常に強めているのです。「どんな考えも願いであり、実現する」ということをけっして忘れないでください。自分はシングルであるという気持ちにしがみつくようなものはすべて、部屋の中から追い出してしまいましょう。そうしないと、自分はシングルであることを思い出してしまうからです。あなたのパートナーは、今、あなたのところへやってくる途中なのだ、ということを思い起こさせるような状況をつくり出すのです。完璧なパートナーが現れる、と信じましょう。

あなたの部屋は、ふたりで暮らすには小さすぎるかもしれません。でも、そんなことは問題ではありません。はじめからいっしょに暮らすわけではないでしょうから。でもきっと、パートナーに泊まっていってもらいたい、気持ちよく過ごしてもらいたい、と思うことでしょう。ですから、洗面所や浴室に、将来のパートナーのものも置けるように、場所をつくってあげましょう。引き出しも空けましょう。同じ要領で、あなたの心の中にも相手の居場所を用意します。つまり、あなたはだんだんと新しい生活になじんでいくのです。そうすると、宇宙は新しい事実にふさわしい状態にしなければならなくなります。空になった引き出しはまもなく満たされる、と信じましょう。パートナーが、空の引き出しを見て驚くとき、あなたはどんなふうに感じるでしょう。そのときの気持ちを想像してみましょう。人生のパートナーが現れることだけを考えましょう。今から行きます、とパートナーに言われたかのように振る舞いましょう。そうすることで、その事実をつくり上げるのです。

部屋の中に古いものをそのまま置いておくと、疑いが生じパートナーの出現を心からは信じられません。そうすると、願いのエネルギーは強くなりません。あなたはとりあえず様子を見ているだけで、はっきりとしたエネルギーを外へ放てなくなってしまうのです。

心の中だけでなく、あなたを取り巻く環境にも、相手の居場所をつくりましょう。

ここにいくつかのお願い言葉を用意しました。あなたに合ったものを選び出し、自分のものになるまでくり返しましょう。

パートナーを引き寄せるお願い言葉

☆私にはわかっています。真のパートナーは存在し、今、目の前に現れます。

☆歓迎されていると感じられるように、私のすばらしいパートナーのための空間をつくります。

☆すべては完璧に準備が整っています。

☆満たされたパートナーとの関係を築いた自分の姿が見えます。

願いごとが届いたら、自分の直感を信じよう

パートナーが現れると願い、心の準備をしていたとします。私たちは毎日無数の人との出会いがあります。そして、そのうちの何人かは、心の準備ができているという信号を送ってきます。さて、届けられた願い、すなわち、願ったパートナーが誰なのか、どのようにして見分けたらいいのでしょうか？

人生のパートナーは、驚くような時間や場所であなたの前に現れるかもしれません。地下鉄の中かもしれませんし、階段で転んだときかもしれませんし、あなたの車に衝突した相手かもしれません。また、あなたのことを突き飛ばしていく人かもしれませんし、自分の人生を完全に変えなければならないことに危険を感じ、わざと無視する人かもしれません。宇宙は、豊富な人材の中からあなたの指示にぴったり合った相手を選び出し、ふたりが出会う場所へと導いてくれます。たいてい、パートナーは何が待ち構えているのか、まったく気づいていません。ですから、相手は不機嫌かもしれませんし、とても内気かもしれません。また、水着姿であなたの前に現れるかもしれませんし、あなたがシャワーを浴びているところへ突然入ってきて、驚かせるかもしれません。あるいは、パーティーの会

場で酔った姿で登場することもあるでしょうし、知り合いの親友ということもあるでしょう。花を贈ってくれる人、どんな願いもかなえてくれる人、金持ちで贅沢《ぜいたく》な生活をさせてくれる人、ワゴン車で世界を旅する人かもしれません。ありとあらゆる可能性があるのです。**とくに恋愛では、理性の言うことを聞くのはやめましょう。**

あなたの直感を信じましょう。出会いの瞬間、あなたは相手をどう感じましたか？　その人といっしょにいるところを想像してみてください。どんなふうに感じますか？　その人と再会します。電話番号を教えてあげます。そして、相手の歯ブラシが、あなたの歯ブラシと並んで立ててあります。さて、あなたの中にどんな気持ちがわき起こってくるでしょうか？

考えるのではなく、感じてみましょう。あなたの中で芽生える気持ちを探ってみるのです。この気持ちは、あなたを欺くことはできません。この気持ちは、あなたにすべてを教えてくれます。ともにいられる波動なのか、そうでないのかを。**あなたの直感は真実を教えてくれます。**

*相手の事情やそれにともなう問題や他人の意見を考慮するのはやめましょう。
*自分の直感を信じましょう。
*理性の言うことに耳を傾けるのはやめましょう。
*相手を選ぶための根拠を探すのはやめましょう。

はじめの三秒で、その人と気が合うか合わないかがわかります。それが過ぎると、今度は、どうしてその人ともっと知り合ったほうがいいのか、または他を探したほうがいいのかということについて理性が論理的な説明をしてきます。そんなとき、「そんな簡単に話しかけられてたまるものですか」とか、「彼はお金持ちだから経済的にいい暮らしができるわ」とか、「これ以上ひとりでいるのはいや」とか、「この人なら、みんなが私のことをうらやましがるわ」などといったような言葉が心に浮かんでいるのですが、たいていの場合、これらの言葉は、相手とはまったく関係がないことで、自分が今いる状態を表しているのです。

相手のエネルギーがあなたに合っているかどうか感じ取ろうとするならば、理性の声に耳を傾けてはなりません。理性が示すパートナーを選ぶ根拠は、あなたに何も教えてくれません。教えてくれることは、あなたの今の状態だけです。その人があなたにとっての真のパートナーであるかどうかを、理性があなたに教えることはできません。理性は、そのような働きはしません。それができるのはただ一つ、あなたの直感です。

しかし、あなたがその人と同じ波動をもっているからといって、その人があなたの人生のパートナー、心のパートナーであるという意味ではありません。共通のものがあり、その人と楽しく過ごせる、という意味でしかないのです。それは、深く話し合うことかもしれませんし、旅行をすることかもしれません。また、散歩やオペラ鑑賞、セックスを楽しむことかもしれません。出会う可能性のある波動の種類は、限りなくたくさん存在します。誰かと同じ波動を感じるというのは、ちょうど今あなたが必要としている部分がふれあっている状態なのです。その波動を受け入れ育《はぐく》んでいくかどうかは、あなたがひとりで決定しなければなりません。あなたの直感が教えてくれることは、共通点がある、ということだけです。急いで飛びつけ、と理性が言っても、しっくりこなければかかわるのはやめましょう。**あなたの直感には、兆しや結果を感じる能力があります。**

その人とかかわるべきかどうか知りたければ、あなたの直感に従いましょう。他の声に耳を傾けてはなりません。喜ばしい体験になるか、不快な体験になるかは、直感があなたに教えてくれます。

長くいっしょにいるためのパートナーになれるかどうかを知るには、直感の他に、もう少し確実な方法があります。それは、共通点を見つけることです。その数が多ければ多いほど、ふたりがもつ共通の能力も強くなります。共通の目的があれば結びつきが強くなり、ふたりにふさわしい人生がすばやくもたらされます（『愛のための幸せの法則』の中で、人生のパートナーかどうかを知るための最適な方法について説明しています）。

いずれにしても、願いを発信したら、新しい道を歩む心の準備をしていたほうがいいでしょう。目には見えないエネルギーを発信し、そのエネルギーは共鳴するものを探し、ときには私たちにエネルギーを送り返してくるのです。ですから、願いを発信したあとはとくに、直感の声に耳を傾けましょう。どんなことに喜びを感じるでしょうか？　どんなメッセージを受け取りましたか？

近所に住む女性とギリシャで恋に落ちる

セミナーに参加したある男性が人生のパートナーを願ったときの体験談を紹介します。彼の願いは完璧に表現されました。それは、ちょうど彼がスペインで休暇を過ごそうと計画を立てていたときのことです。願いを発信してから一週間後、どうしてかは説明がつかないのですが、彼は急にギリシャへ行きたくなり、スペイン旅行をとりやめギリシャへ旅立ったのです。そこで、ひとりの女性と知り合い、激しい恋に落ちました。魂のパートナーを見つけた、と彼は確信しました。かれこれ二年ほどたった今も、ふたりはつきあっているのですが、驚くべきことは、その女性は彼と同じ町に、しかも彼の家から三〇〇メートルと離れていないところに住んでいたということです。

願いを送り出すと、願いを受け取る場所に導かれるだけでなく、願いをつかむチャンスや時間を手に入れることもあります。それを助けてくれるのが、私たちを導いてくれる直感です。もしかしたら、ふたりが暮らしている町内で出会っていたのかもしれませんが、日々の生活に追われて忙しく、出会いの機会を逸していたのかもしれません。送り出された願いのエネルギーは、この男性を疲れきった日常生活から解放し、日々の悩みとはまったくかけ離れた場所で、ひとりの女性に出会うように導いたのです。ふたりは、気持ちが和らぎ、解放されているところで、ようやくお互いを知り合う機会に恵まれたのです。

パートナーと結ばれるためのポイント

＊願いを正しく表現しましょう。願うときはいつでも、あなたが得たい気持ちを描きましょう。
＊探すのはやめ、見つけてもらいましょう。
＊喜びと安らぎを手に入れる練習をしましょう。
＊将来のパートナーにこう思われたいという、あなたの姿を思い浮かべましょう。
＊自分の魅力的な面だけに焦点を当てましょう。その長所をあなたのパートナーとの関係に使いましょう。
＊パートナーがすでにいるかのように振る舞いましょう。
＊パートナーが現れたときのための準備を、しっかりしましょう。
＊かかわりをもつべき人かどうかの判断は、直感に従いましょう。

＊理性に耳を傾けるのはやめましょう。

妻ミヒャエラを引き寄せた言葉

次の**お願いの言葉**は、以前、私が自分のために書き記したものです。心を込めて、声に出して何度も読み返しました。そして、私は妻のミヒャエラを人生に引き寄せたのです。

この言葉は、先に掲げた観点をもとに書いてあります。

長すぎるようでしたら、一部分だけを拾い出してください。毎日違う部分を読んでもかまいません。今のあなたに適した部分を選んでください。大切なのは、言葉の一つひとつが真実で、この瞬間に現実となる、とあなた自身が感じることです。

満たされた愛への願い

私は心を開いています。
深く満たされた愛を受け入れる準備ができています。

私のすばらしいパートナーが、歓迎されていると感じられるように、
私の人生の中に、
パートナーの居場所をつくります。

私のパートナーも、今この瞬間に、
私と同じように心の準備をし、
安らぎのある関係を受け入れようとしています。

思いの力によって、
今、私は魂のパートナーを引き寄せるのです。
私たちの人生は交差します。
それは、昼と夜がめぐるように、避けることはできません。

私は、パートナーを探すのをやめます。
放たれた願いのエネルギーが、

この瞬間に現実となり、パートナーが現れると、
心の底から信じているからです。
すべては順調に進んでいるのです。

真のパートナーは、すでに存在しています。
その人は、今、私の前に現れようとしています。
私のパートナーは、完璧ではありません。
でも、私にとっては完璧な人です。
パートナーは、私のできることを悟らせてくれます。
そして、私が自分の足りない面を見つめ、
私が向上できるように、力を貸してくれます。

パートナーを通じ、
私はどんどん自分と親しくなっていきます。
パートナーのおかげで、私は自分自身に限りなく近づくのです。

ひとりでは不可能なぐらい、近づくのです。

パートナーを通じ、
自分の嫌いな部分も含め、
自分のもっとも深い部分にふれるのです。

私は、パートナーにありのままの姿を見せます。
そして、パートナーのありのままの姿を受け入れます。
それは、パートナーを愛しているからです。

愛は、思いを駆りたて、ふたりの絆を支える力です。

パートナーを通じ、私は大きく成長します。
忍耐力、意志の強さ、誠実さ。
不安、そして大胆さ。

自分の真の大きさを示すことができるのです。

パートナーと親密になる心の準備ができています。
私は、パートナーを歓迎します。

愛の力を受け入れるために、
私の心は十分に解き放たれています。

私は、心の自由を抑えるものから解放されています。
私はひとりだと思うこともやめました。
すでに、満たされた関係のパートナーがいる自分の姿を見ています。

私のパートナーは、私の人生にすでに存在しています。
その人はもういるのです。
その人の存在を感じています。

あなたは私の人生に、果てしなく歓迎されているのです。

神に、宇宙に、そして私のポジティブな思いの力に感謝します。

願いをかなえてくださることに、感謝します。

リストどおりの男性が現れる

ガブリエレさんはある人との恋愛関係に終止符を打ち、がっかりしていたところ、友人から『愛のための幸せの法則』と『宇宙に上手にお願いする法』をプレゼントされました。

「この二冊をむさぼるように読み、とても感銘を受けました。そしてその秋に、私の心からの願いをリストにし、パートナーに与えてもらいたいこと、私が与えられることを書き出しました。しかし、クリスマスになっても、新年になっても、誕生日が過ぎても、パートナーは現れませんでした」

彼女は願いのリストに絶望を感じていたわけではありませんが、そろそろ願いがかなえられてもいいはずだ、といら立ちを覚えはじめていました。ホームセンターで六〇キロの土を買ったときには、とりわけそんな思いが強くなったので、それはそれは熱心に願いを復唱したのでした。

そして、本に書いてあったことを思い出し、具体的にお願いしたのです。「今、土を車から下ろしてくれる力持ちの男性が現れます」と。ところが、家に着くと、いつも手伝ってくれる親切な隣人の姿すら見えません。そこで、彼女は土の入った袋を車の中に置きっぱなしにし、そのまま出かけてしまいました。願いのことはすっかり忘れ、その日の夜はストレス発散のために踊り、そこで知り合った男性と楽しく語り合い、話のついでに車に積んだままの土の話をしたのです。

「翌朝、電話が鳴りました。電話に出ると、昨晩の男性の声がしたのです。『おはよう。昨日、車の中に土の袋が二つ入ってるって言ったよね。今から手伝いに行ってあげようか？』そう言うと、彼は本当に来てくれたのです。それ以来、彼は私のところに通いつづけています。間もなく、私たちは交際一周年を迎えます。その後、好奇心から私は自分で書いた願いのリストを読み返してみたのですが、願ったことのうち九〇パーセントはかなえられていました！　あなたの本がきっかけをつくってくれたのです。ありがとうございました」

この章の最後に紹介するのは、ネルデさんの苦笑いしてしまうような体験談です。

さっとひとふき、夫を消し去る

私は夫との別れを決意したとき、どうやって本人に伝えたらいいのかわからず、きっかけを探していました。そんなとき、テレビのコマーシャルを見たのです。女性がキッチンペーパーを手に取ると、ソファに座ってのん気にテレビを見ている夫をさっとひとふきしました。すると、夫が消えてしまったのです。これを見た私は、なんてことかしら、私もこんなふうに夫を消したい、さっと別れたい、と願ったのです。

すると、コマーシャルと同じくらい、いとも簡単にことが運び、晴れて幸せなひとり身となりました。

ネルデ

★第七章

もっと上手に成功をお願いする法

★成功はさらなる成功を引き寄せます。

★奇跡は可能です。

★成功する人は、常に成功を収める人に囲まれています。

成功とはいったい何でしょう？

何を成功というかは、人によってそれぞれ違います。ある人にとっては、お金がたくさんあることかもしれませんし、大きな車に乗ることや、美しいお屋敷のような家で暮らすことかもしれません。また、幸せな家庭を築くこと、心から打ち込める仕事やたくさんの友人を手に入れること、あるいは人気者になることかもしれません。

成功は、一人ひとりが自分のために定義していることなのです。

しかし、一つだけ断言できる共通点があります。**成功はさらなる成功を引き寄せる**、ということです。他人の成功話を聞くことは、もっとも刺激を受けることができます。他人が成し遂げたポジティブなお手本ほど影響力のあるものはありません。もっとも、妬《ねた》みや嫉《そね》みを感じなければの話ですが。一見ゼロから起きたように見える他人の奇跡の話を聞くことによって、信念は強まり、「私にだってできるはずだ」と思えるようになるのです。

ありえないようなことというのは、運や偶然だけで手に入るものではありません。意識的に放たれた願いのおかげです。ですから、他人の成功を目の当たりにすれば、とかく疑いがちなあなたの理性に納得させることができるのです。本書に登場する成功話を読むことによって、あなたの理性も納得するかもしれません。自分にもできる、と思いながら読んでみてください。

映画制作の願いがかなう

私が脚本を書きはじめたのは、願うことをまだ心からは信じておらず、あらゆることと闘っていたときでした。私が書いた脚本は、誰にも関心をもたれることはありませんでした。奇妙な断られ方をし、ひどく傷ついたこともありました。最初に思ったのは、私の名前のせいではないか、ということでした。そこで、ペンネームで応募してみました。コメディーやロマンチックな恋愛ものを書いてみました。そのときには、いくらか対応が感じよくなったものの、答えは同じく「ノー」でした。

私が再びお願いするようになったとき、脚本家になる夢は、願いのリストの最上位にありました。私は、私の才能を認めてくれる、私とまったく同じように作品の映画化を信じ、協力してくれる映画プロデューサーに出会いたかったのです。願いには制限がないので、私は自分の作品が映画化されることも願いました。願いが実現されることについては、まったく疑いませんでした。

それから何日かして、ある人が私に、脚本家の手伝いをしないか、と言ってきました。これは、私の本当の願いではありませんでしたが、これで成功を収める脚本家のエネルギーへ一歩前進した、と感じました。

何という「奇跡」でしょう。それから少しして、ある映画プロデューサーが私の脚本に目を留めてくれたのです。他の原稿に紛れて、一年以上もほったらかしにされていた私の原稿を、引き出しを整理していたときに見つけたというのです。どうしてそんなところへ紛れ込んでしまったのかわからないということでしたが、彼は私の書いた脚本を読み、この作品は成功すると思ってくれました。ところが、このプロデューサーは話をなかなか進めてくれませんでした。彼は、私の脚本を映画化したいと思ってくれてはいたのですが、さしあたり、テレビドラマにとどめておきたいと言ってきたのです。結局、作品を再び寝かせることになってしまいました。

そこで、私はお願いの言葉を次のように書き換えました。「私は、私の作品を映画化したいと思ってくれ、できるだけ早く全力で取り組んでくれるプロデューサーを見つけます」と。すると本当に、別のプロデューサーが私に電話をかけてきました。「偶然」に私の脚本を読み、感動したということです。彼は、急いで配給会社を探そうとしてくれました。彼は、私が望んだとおり一生懸命に努力してくれたのですが、結果は私が期待していたのとは少し違ってしまいました。願ったとおり、彼は私の脚本を気に入ってくれ、映画化しようと努力してくれたのですが、彼の個人的な事情により、実現にはいたりませんでした。

願いはリクエストしたように届けられてしまうのです。さて、どうやってお願いしたらいいのでしょうか。私の本当の願いは何でしょう？　私の願いはプロデューサーを探しつづけることでしょうか？　そうではありません。作品が映画化されることです！　ですから、これ以上プロデューサーを探しつづけても、まったく意味がありません。私の本来の願いは、映画が制作されることで、そのための解決方法を望んでいたのです。そこで、私は願いの文言をさらに書き換えなければなりませんでした。今度はまったく違う表現にしました。「私が書いた脚本があります。これは映画化されます。今この瞬間に、もっとも適切ですばやい解決方法が見つかります」としたのです。それから数日後、私は、あるパーティーでひとりの映画プロデューサーと知り合いました。私たちは出会った瞬間からお互いを気に入り、仲よくなりました。「偶然」のなりゆきで、自分の書いた脚本について語ったところ、彼は共感し、私を俳優として起用し、映画にしたいと考えてくれました。
私の願いがうまくいったところで、私はさらなる願いを発信しました。この映画で、自ら監督を務めたかったのです。あきれるような、とんでもないお願いです。映画制作の実績がないのに、いきなり監督を務めようだなんて、楽観的に考えても絶対にありえない話でした。実績も何もない初心者の私の夢を実現させるために、誰が数億円ものお金を用意してくれるというのでしょうか。しかし、願いには制限がありません。私の願いにも、制限はありませんでした。気がつけば、私は、私の無謀な企てに協力してくれる人たちに取り囲まれていたのです。友人でありプロデューサーである彼が味方についてくれたおかげで、私は必要な資金を手に入れ、すばらしい映画を完成させることができたのです。このことを通し、私たちはとても親しい関係になりました。今日なお、彼のことを思うだけで喜びがあふれ、心が温かくなります。彼といっしょに仕事ができたことは、私にとって大変すばらしい経験でした。

奇跡は可能です。私にとってこの出来事は、人生の中でもっとも大きな奇跡の一つです。しかし、成功したのは、私が願いを書き換えたあとのことで、願いの言葉と私の夢がぴたりと重なったときでした。

ここでもう一つ、願いがかなうまでに時間がかかったという体験談を紹介します。

夫の成功を願い、自分の願いもかなえる

次の二つのメールは、ベッティーナさんからのものです。

二〇〇六年五月九日

私と夫の職場は四三〇キロ離れています。そのため、私たちは二年前から別居し、お互いの家を行ったり来たりする生活が続いています。どうしてこのようなことになってしまったのかというと、二年ほど前に、無意識のうちに上手に願ってしまったせいなのです。私は、夫がもっと仕事で成功することを望み、それは実現されると信じていたのです。すると、夫はすぐに昇進し、しかも私の憧《あこが》れの街ミュンヘンへ転勤することになりました。ところが、私の仕事はミュンヘンでは見つからず、別居せざるをえなくなりました。

前回ミュンヘンを訪れたときに、私は駅の書店であなたの本に出合いました。それ

は私の旅を楽しいものにしてくれただけでなく、私の中に、すばらしい希望の明かりをともしてくれたのです。私のこれまでの人生に起こった奇跡はすべて、自分が呼び寄せたのだ、ということを教えられました。そして、私のお願いは特別すぎて難しい、と常に思っていたのに、そういう思いがあっという間に消えてしまいました。私はそれ以来、ミュンヘンでは私の仕事が見つからないのではないか、という疑いをもたなくなりました。私の心からのお願いは、まもなくかなえられることでしょう。

ベッティーナ

二〇〇七年五月十六日

一年ほど前、あなたにメールをお送りしました。その後、お返事をいただき、とてもうれしく拝読いたしました。私の願いがようやくかなえられたので、今、ここで分かち合わせてください。私はミュンヘンで仕事を見つけることに成功しました。今年の十月から働くことになっています。職場の数も少なく、なおかつ身重にもかかわらず、うまくいったのです。かくして、私たちの夢は現実となり、三年半の月日を経て、再びいっしょに暮らすことができるのです。あなたの著書は、私たちにとって大切な道案内です。ありがとうございました。

ベッティーナ

願いの力で試験に受かる

次のようなメール交換は、実際にはエネルギー交換の役割を果たしています。

四月四日

四月十八日に、自然療法士（ナチュラルセラピスト）の資格試験が控えています。これまで十分に準備をしてきましたが、試験のことを考えるととてもストレスを感じます。

不安を克服し、試験に合格するのに役立つお願いをしたいのですが、まちがえた願いを発信するのではないかと不安でたまりません。どうしたらいいのでしょうか？

ゲルリンド

四月五日

手短にお答えします。次のようなお願い言葉が最適です。

試験に合格するためのお願い言葉

☆答えはすべて、私の中にあります。私は、思いどおりに答えを引き出せます。

☆私は、知るべきことを、すべて知っています。

☆試験の準備はしっかりできています。

☆試験が楽しみです。大きな喜びで試験に臨み、気持ちを楽にして答えます。

☆私は自然療法士です。

☆試験は、私の将来へのさらなるステップです。

成功をお祈りしています。

ピエール・フランク

四月二十五日

本当に、本当にありがとうございました！

あなたがお願いの言葉を考えてくださったおかげで（この場をお借りして、あらためて御礼申し上げます）、試験に合格しました。出題されてほしいと願っていた問題が順番に並んでおり、落ち着いて、ほとんど緊張することなく試験に臨むことができました。ただただ、驚くばかりです。ありがとうございました。

ゲルリンド

本当にこんなに簡単なことなのでしょうか？　そうです、簡単なことなのです。以下に、成功を手にするために大切な点をあげました。

成功を手に入れるための十三項目

①成功しない、と考えるのはやめましょう。

②自分の成功を信じるために、もっと時間を費やし能力を働かせましょう。

③失敗の理由探しに時間を費やすのはやめましょう。そんなことにかかわっていると、苦しい状況がさらに悪化します。そうしていると、多くの場合、自動思考でネガティブなことを次々と考え、しだいに気分も悪くなっていくのです。

④今の状況が悪くても、まったく見込みがないように思われても、言葉や行いでその状況を固定してしまわないようにしましょう。そこから解放されたいのであれば、ポジティブなことを探し、できるかぎりそのことに取り組みましょう。

⑤朝、鏡に向かって微笑《ほほえ》みながら「私は成功を収めています。私は称賛されています」と唱えてみましょう。これを、できるかぎりくり返しましょう。

⑥ショーウインドーに映った自分の姿に向かい「そこに立っているのは成功を収めた人

だ」と言ってみましょう。

⑦過去のことにこだわるのはやめましょう。そして、現況にくよくよするのもやめましょう。

⑧前進することだけに取り組みましょう。

⑨自分についてポジティブなことだけを考え、ポジティブなことだけを語り、ポジティブなエネルギーだけを発信しましょう。

⑩小さな成功も評価しましょう。そのことがあなたの信念とさらなる願いの力を強めるのです。

⑪あなたの願いはつくられている最中だ、ということをくり返し意識しましょう。

⑫これから経験するであろう人生の変化を楽しみにしましょう。

⑬自分の成功をほめたたえましょう。

私たちの願いのエネルギーがどれほど強いものであるのか、絶対に不可能だと思われることをかなえた私の妻ミヒャエラがまたもや証明してくれます。次はミヒャエラの体験談です。

超難関演劇学校に入学

高等学校を卒業したときの私の夢は女優になることでした。私はさまざまな演劇学校の入学案内書を検討した結果、大学卒業資格の得られる名門の演劇学校を受験することにしました。それは、オーストリアのウィーンにあるマックス・ラインハルト・ゼミナールでした。誰でも応募することはできましたが、合格できる可能性は非常に低かったのです。私が受験したときは、定員十二名に対して、応募者はおよそ六百名もいました。

受験前、私は自分がもっている願いの力の強さを思い出しました。合格したいという私の願いはとても強く、私はそのことばかりを考えていました。私は、オーディションの役をとりつかれたように練習し、毎晩、入学試験の状況や、合格の知らせを受けて飛び上がって喜んでいる自分の姿を思い浮かべていました。

三日間続いた試験は大変厳しいもので、選考段階が進むたびに、応募者は次々と振り落とされていきました。最終審査まで残った私の精神状態は、緊張のせいでボロボロになっていましたが、自分の思いの力に支えられ、何とか毅然《きぜん》としていられました。

私は、全神経を合格することに集中し、ひたすら祈りつづけました。毎晩、ベッドに横になると、願った状況をこと細かに思い浮かべ、祈りの言葉をくり返し唱えました。

二週間後、合否を問い合わせるために学校の事務局に電話をかけてみると、私はまたもや(ポジティブな)ショックを受けました。十二名の中に入っていたのです。受験番号一二八でまちがいないか、何度も確かめました。私は、本当に合格したのです。この学校で研修させてもらえるのです！　私は雲の上にふわふわ浮いているようで、信じられない気持ちでいっぱいでした。

演劇学校の教師のひとり、カール・ハインツ・ハックル氏は、のちに入学試験のことについて、私にこう語りました。

「君は合格すると自信をもっていたから、受け入れざるをえなかったのだよ」

それからというもの、お願いすることは私の日常生活の一部になったのです。けれども、私は、他人に迷惑をかけないとわかっているときだけにしかお願いしません。そして、「神様の意図されることに沿うのであれば……」と、つけ加えます。それ以来、私の人生には数え切れないほどの奇跡がもたらされています。この方法で、まったく無名の舞台女優であった私は、連続テレビドラマの主役を射止めました。

私たち夫婦にとって「上手に願う」ことは、あらゆることを実現するための、確実な方法なのです。

さらに、まったく異なる種類の体験談をここで二つ紹介します。

夢の仕事を願う

親愛なるピエール・フランクさん

私は、六年間働いた職場を解雇されてしまい、新しい仕事を探していました。そして、新しい会社に再就職しましたが、三か月もすると、どうもこの仕事は私の性に合っていないようだ、と思うようになってしまいました。それから数週間後、別の会社に転職したのですが、やはり二か月ほどすると気分がなえてくるのでした。仕事の内容が気に入らないのです。

しかしある日、奇跡が起こりました。それは、電気技術者である私が、電気ボックスのメンテナンスを行っていたときのことでした。私はボックスの扉を開け、電気回路図を取り出しました。すると、突然「これだ！」と、ひらめきました。私は、自分のやりたいことをとっさに感じたのです。「設計の仕事だ！」とつぶやいたときのあの気持ちをけっして忘れることはないでしょう。

今なら、あの瞬間に私は自分の願いをはっきり述べたのだとよく理解できますが、あのときは、自分が願いのエネルギーを発信したことにはまったく気づいていませんでした。そのときは、回路図をそのままボックスに戻しましたが、その後も自分の夢を忘れることはありませんでした。

二か月後、私は再び違う会社で働いていましたが、悲しいことに、そこでもまた解雇されてしまったのです。しかし、私は自分のことを無能だとは思いませんでした。むしろ、夢がかなえられるはずだ、と信じていたのです。職業安定所に申し込みをしてから一週間後、電話がかかってきました。電話は、ある会社の経営責任者からで、私は職歴を尋ねられました。ここまでの過程はいつもどおりだったのですが、驚いたことに、その人は私に機械製図ができるかどうか尋ねてきたのです。何と言ったらいいのでしょう。常識では考えられないことでした。私は機械設計士としての仕事を得たのでした。私が会社を探し出したのではなく、会社が私を探し出したのです。すべてがちょうどよいタイミングで起こった結果、夢の仕事を手に入れることができたのでした。不思議なことですが、真実です。心より御礼申し上げます。

ハインリヒ

ミステリー作家として成功する

ピエール・フランク様

本を書いて出版する。それは、私が抱きつづけてきた大きな夢でした。はじめてのミステリー小説『血痕（Blutspur）』（邦訳未刊）を書いたのは、私が大学の法学部に在籍していたときのことでした。これを読んでくれた友人、知人は、とても感動してくれました。ところが、原稿を持ち込んだ出版社からはよい返事はもらえませんでした。ベルリンにあった当時の出版エージェンシーも、私の書いた本は売れると確信していたのですが、よい反応を示してくれた出版社がいくつかあったにもかかわらず、私は契約を成立させることはできませんでした。その状態に満たされない思いが募り、私はイライラしていました。そして、いつしか出版社探しをやめ、新しい作品を書きはじめたのです。一作目がダメなら、二作目でがんばろう！　私は自分に言い聞かせました。しかし、やはりよい返事はもらえません。私はすっかり滅入《めい》っていました。

私にとってとてもつらい時期に、友人のひとりが『宇宙に上手にお願いする法』をプレゼントしてくれました。あっという間に読み終えました。すると、急に私は悟ったのです。願いをかなえるのは自分自身なのだ、と。夢がかなうというゆるぎない信念と、ポジティブな思いだけが夢の扉を開けることができるのです！　こうして私は、自分の願いを本に書いてあるとおりに発信しました。願いの一つは、もちろん、出版社が作家としての私を見つけてくれることでした。そこで、願いとして、原稿を「発信」するのはやめ、引き出しの中にしまっておくことにしました！　それから二か月後、友人が、偶然に見つけたと言って、ドレスデン日刊新聞の記事をファックスしてくれました。まだ立ち上げたばかりのドレスデンの出版社が、ミステリーコンテストの参加作品を募集しているというのです。私は、第一作目として書いた作品『血痕』を送ってみました。それからずいぶんと長い間待っていましたが、何も起こりませんでした。休暇で旅行に出発する前、出版社に問い合わせてみようと思いました。しかし、私はよい知らせを受け取ると信じ、問い合わせはしないことにしました。休暇から戻ってから数日たったある日のことです。郵便受けに、出版社からの手紙が入っていたのです。

「拝啓　Ｆ様

このたびは、私どもの文芸コンテストに応募くださり、まことにありがとうございました。……私どもはあなたの作品『血痕』を大変気に入り、社員の中には時間を忘れ、読みふけっていた者もおりました……」

出版社は、私の作品を気に入ってくれたのです！　すると突然、すべてがうまく回りはじめました。二〇〇六年三月、ライプチヒ・ブックフェアで『血痕』が発表されたのです。そしてはじめて行われた朗読会は私たちの期待を上回るできでした。さらに朗読会が続きました。感動してくれた読者の方々からメールをいただき、次の本はいつ出るのかという問い合わせをたびたび受けました。さらに、同じ年の九月、「読書の体験」というイベントで司会のアシスタントをやらないかというお誘いをいただきました。これは、ドレスデン市内で行われているトークショーと朗読会を合わせたような催し物で、魅力的なゲストを招いてコーゼルパレスで月に一度開催されています。それだけではありません。二〇〇七年三月には、『小鳩狩り（Täubchenjagd）』（邦訳未完）という作品も刊行され、またもやライプチヒ・ブッ

クフェアで紹介され、朗読会も数々催されました。私の最大の夢が今、かなっている
ところです！
ありがとうございました。
ロミー

他人の成功も喜ぼう

どうして他人の成功も喜んだほうがいいのでしょうか？　それは、他人の成功を喜ぶことで、自分にも成功を引き寄せるからです。

他人の成功に嫉妬《しっと》すると、ネガティブな感情を抱きます。そういうとき、私たちは嫉妬心とネガティブな感情を成功と結びつけてしまいます。そうなると、私たちにとっての成功の要素がネガティブなものとなります。さらに、私たちは成功を収めた人々を自分に近づける代わりに、遠いところへ押しやってしまいます。つまり、周囲の成功により自分にも成功が近づいている、というサインを受け取る代わりに、成功しない状態が固定されてしまうのです。

成功する人は、常に成功を収める人に囲まれています。成功を手にできない人のまわりには、成功しない人が集まるのです。ですから、あなたの近くにいる人の成功を喜びましょう。成功する人が近くにいるということは、喜ばしいことなのです。こうして、あなたは自分自身を成功と結びつけ、人生に成功を招き入れるのです。

もし、成功を収めた人があなたと親しくなろうとしているなら、その人はあなたの中に、自分でもまだ気づいていない何かを感じているのです。その人は、あなたの中に同じ志、似たような性質を感じているのかもしれません。その人が感じているあなたの中にあるものを、理屈ぬきで感じてみましょう。すぐに、あなたの人生は一八〇度変わることでしょう。あなたの仕事がどのように発展するか、経済状態がどのように上向きになるか、交友関係がどのように変化するのか、楽しみに待っていましょう。すぐに、あなたと同じように、あなたの成功を信じる人たちに取り囲まれるはずです。

成功へのお願い言葉

☆私は、成功を収めています。

☆私は、とても自信があります。

☆成功を収めることは、私の自然な状態です。

☆私は、自分の中に存在する、絶対的な成功を収める能力に気づいています。

☆成功を手に入れるために必要なものは、すべて自分の中に存在します。それが、私を願ったことへと導いてくれます。

☆私は、自分の成功を確信しています。

☆私は、私の計画にかなった人を引き寄せます。

☆私は自分の成功を意識しながら生きています。

☆成功、充実、富を手に入れるために、私の人生における障害は、すべて取り除かれています。

☆私は、成功を手に入れる権利がいつでもあることを承知しています。

☆私は、実現される夢と一体化しています。

☆私は、成功を人生に引き寄せるために、自分自身と発せられたエネルギーの力を信じています。

☆私は、万能なエネルギーの力で、あらゆることを実現できます。

☆私は幸せで、成功を収めています。

☆願いを実現するための能力とエネルギーに感謝します。

かなえられた願いが小さくても、喜びは計り知れないほど大きなものです。ここで、イングリットさんからのメールを紹介します。彼女のお願いもかなえられました。

作家の世界に一歩踏み出す

親愛なるピエール・フランク様

お仕事のお邪魔をするつもりはないのですが、どうしても、宇宙に関係している人にお話ししたかったのです。『宇宙に上手にお願いする法』で私に宇宙と手を組むことを教えてくれたのは、あなたなのですから。ところで、私の書いた詩集が刊行されることになりました。それも、フランクフルトの出版社からです！　すばらしいことだと思いませんか？　作家の世界へ一歩踏み出しました！　フランクさん、ありがとうございました。宇宙よ、ありがとう！

イングリット

★第八章

誰かのために
お願いする法

★人生をつくり上げるのに重要なのは、自らの意志です。

★本人が望んでいなければ、人のために健康や成功を願うことはできません。

★悪い習慣を改めるかどうかは、本人の問題です。

★いっしょに願うと早く実現します。

★共通の目標をたくさん見つければ見つけるほど、その関係は密接でゆるぎないものになります。

★儀式は願いの力を強めます。

★どの子も自分の願いや憧《あこが》れを抱いています。

★親子でいっしょに願うと、子どもは新しい世界に導かれます。

できることもあれば、できないこともある

　できることとできないこと、どちらもありえます。特定の状況のもとでは、他人の人生を動かせることもありますが、基本的にはできない、といったほうがいいかもしれません。それはありがたいことです。

　そうでなければ、他人に自分のことを勝手に願われ、まったく望まぬことまでしなければなりません。そうなると、私たちは、好きでもない人のことも好きにならなければなりません。あるいは、他の人が私たちの暮らす家に住みたいからという理由で、私たちは家を手放さなければなりません。また、他の人が私たちの仕事につき、私たちが仕事を失うなどということも起こりかねません。私たちは、知らない間に他人に自分の人生を決定され、とても不幸になってしまいます。ですから、自らの意志が最優先されることを喜ぶべきです。**人生をつくり上げるのに重要なのは、自らの意志です。**

　私たちは、願いのエネルギーによって、他人に振り回されることはありません。逆にいえば、私たちも、他人のことをお願いしても、影響を及ぼすことはできません。どんな人

でも、まず、その人の自由な意志が優先されます。上手に願い、特定の人を自分に引き寄せよう、自分に恋心を抱かせよう、物事を自分の思いどおりの方向へ導こうとしても、願った結果を手に入れることはできません。ですから、「どうやったら彼（彼女）に振り向いてもらえるだろう?」と考えるのはむなしいことです。どうしてそうなのでしょうか？

願うことによって、私たちはエネルギーを発信しています。このエネルギーは、同じ波動をもつもの、つまり、発信されたエネルギーと一致するものを探しています。あなたが考え出した夢のパートナーがあなたに共鳴しないのであれば、エネルギーはそのままさまよいつづけます。あなたの憧れの人は、そのようなエネルギーが自分のそばをかすめていったことさえ、気づいていないかもしれません。これは、ピアノの弦と似ています。ピアノの鍵盤《けんばん》をたたくと、たたかれた弦に共鳴する弦が振動します。しかし、共鳴しない弦は、微動だにしません。

私たちの発信したエネルギーが同じ波動をもつものにしか共鳴しないということは、私たちにとても大きなメリットをもたらしてくれます。憧れの人と自分の波動が調和しないとわかったとき、理性はその状況を受け入れられないかもしれません。しかし、実際にはその人がいないほうが、自分にとってはうまくいきます。ですから、同じ波動でないとわかったことを心から喜ぶべきなのです。他にもメリットがあります。私たちは、自分の思いどおりのことを何でも望むことができます。しかし、お願いしても、他人の人生設計や運命に勝手に影響を及ぼすことは、けっしてできません。その人がしていることはすべて、その人の自由な意志で行われています。なぜなら、その人がそうしたいと決めたからです。それでいいのです。お願いによって自分のことを無理やり好きにさせることができる、という状況を想像してみてください。このような愛の中に見いだせる価値は何でしょうか？その人が、自らの意志であなたの元にいてくれるのでないとしたら、どう思いますか？その人は、囚《とら》われの身であり、操り人形のようなものなのです。「そこにいなさい」と命令されているからあなたのそばにいるのであって、あなたのことを心から愛しているわけではありません。これと似たような状況にあるのが仕事です。仮に、上手に願って雇用者をうまく操った結果、雇ってもらえることになったとしましょう。しかし、私たちは無理やり採用されただけで、望まれていたわけではありません。このような状況では、雇用者への感謝の気持ちや忠誠心が芽生えることは、けっしてないでしょう。

このように、願いのエネルギーで、他人を自分の幸せに無理やり引きずり込もうとしてもそれは不可能だということに、まずは喜ぶべきなのです。

＊誰もが自由な意志をもっています。
＊願っても、他人に、その人の意志に反することを強要はできません。自分に恋心を抱かせることもできません。
＊影響を与え合えるのは、波動が同じエネルギーだけです。

では、自分を愛してくれる人を、どのように手に入れたらいいのでしょうか？　とても簡単なことです。理性が決めた人ではなく、すでに長いこと自分を探してくれていた人を手に入れるのです。ですから、パートナー探しは「上手にお願い」すればうまくいきます。それは、宇宙のエネルギーの検索機が、同じ波動をもつ人を集めているようなものです。

パートナーを取り戻したい、意中の人に気づいてもらいたいときにも「上手に願う」ことが役立つ場合があります。誰にも迷惑をかけず、自分と同じ波動をもっている人がいるかどうか、簡単に確認する方法があります。それは、誰もが経験していることです。たとえば、大好きな人のことを考えていると、その瞬間にその人から電話がかかってくることがあります。それは、偶然ではありません。発信されたエネルギーを相手がキャッチしたのです。誰もが、これと似たような経験をしているはずです。バーやレストランで、自分を見てほしいと特定の人に気持ちを集中させると、その人は必ずといっていいほど振り向いてくれるでしょう。けれども、その人が、私たちのエネルギーを受け止めたときだけしか、そのようなことは起こりません。私たちのエネルギーが受け止められるのは、相手も同じ波動の中にいるときだけです。ダンスを申し込んでほしい、話しかけてほしい、飲みに誘ってほしいと願ったとき、相手の思いも一致していれば、つまり、その人が私たちに心を開いていれば、誘ってくれることでしょう。

そのような願いがかなえられれば、ふたりの間にたくさんの共通点が見つかります。一度、試してみてください。あなたの願いのエネルギーを働かせ、お互いに好意を寄せ合っていると思われる人で試してみましょう。相手に焦点を当て、集中的に思ってみましょう。この形のコミュニケーションがいかに簡単ですばやく成功を収めるか、確かめてみましょう。心の中で、あなたがその人に望むことを念じてみましょう。

コミュニケーションを成功させるお願い言葉

☆私は、あなたに話しかけられることを喜んで受け入れます。

☆私は、あなたともっと親しくなることを受け入れます。
☆私は、あなたにダンスに誘われる心の準備ができています。
☆私は、あなたの愛を受け入れる準備ができています。
☆私には、あなたが私の元へ戻ってくる心の準備ができています。

では、特定の人に振り向いてもらえるように、ただ願ってみましょう。あるいは、パートナーがあなたを許してくれるように、あなたの元へ戻ってくるよう願ってみましょう。きっと実現することでしょう。ただしうまくいくのは、その人もあなたと同じことを望んでいるときだけです。その人は、自分のために扉が開かれている、自分の帰るところがある、と感じるのです。実際に扉をくぐるかどうかは、その人の意志に任されています。あなたの願いがかなえられてもかなえられなくても、結果がわかることによって、次のステップへ前進できるはずです。すばらしいのはあなたの放ったエネルギーにその人が飛びついてくれれば、その人も同じ波動をもっている、と確認できることです。

信じられないようなことが起こっても、驚かないでください。ふたりの人間がお互いのことを考え、ばったりと出くわすことがあるのです。さて、いったい誰がそこへ導いたのでしょうか?

ときには、発信されたエネルギーが受け止められ、準備が整うまでに時間がかかることもあります。妻のミヒャエラは、まだ俳優学校に在籍していたときに、アカデミー賞受賞俳優のピーター・ユスティノフ氏に会いたいと願いました。その願いはかなえられました。とはいえ、実現するまでにかなり長いこと待たなければなりませんでした。彼女には、お願いがかなえられた経験が何度もありました。しかしあのときは、本当に**どんな願い**でもかなえられるのか、特定の人物を指定して願うことは可能なのか、確かめようとしたのです。次もミヒャエルの体験談です。

アカデミー賞俳優に会いたい

当時、私は確かめたかったのです。一介の演劇学校の生徒には簡単にはかなえられないお願いをし、運命に挑戦してみたかったのです。私は、目標になる人物、知り合ってみたい人物を何となく考えてみました。そのときに、アカデミー賞俳優、ピーター・ユスティノフ氏が頭に浮かんできました。そして、私はお願いしました。「私はピーター・ユスティノフさんと知り合います！」と。

それから何か月もたったある日、私がベルリンの友人を訪れていたときのことでした。その日の夜に、ユスティノフ氏がシラー劇場の舞台に立つことを新聞で知りました！　私の胸は高鳴り、心臓が口から飛び出しそうでした。私は思いました。「そんなことありえない。私は行かないわ」。私の中のもう一人のミヒャエラが言いました。「自分で望んだことでしょ。忘れたの？　彼に会いたかったんでしょ」。するともう一つの声が言いました。

「もちろん。でも、私となんか会ってくれるわけないじゃない！　近づくチャンスなんてあるわけないわ！　どうせボディガードに取り囲まれているんだし、笑いものになるだけよ」

私の中では心の会話が飛び交いました。最終的に、自分の願いはかなえられるかどうか知りたくて、私はチケットを買いました。公演終了後、通用口へ行きました。いくつかある通用口にはどこでも守衛がいたため、関係者以外は誰も中に入れませんでした。それなのに、私は自分でもよくわからないうちに守衛をうまいことかわし、中に入ることに成功したのです。そして、友人を待つ振りをしながら、ユスティノフ氏が出てくるのを待っていました。私は掲示板に張り出されたインフォメーションを見つめていましたが、ひどく緊張し、文字はかすんで見えました。とても長い時間が経過しました。すると、声が聞こえてきました。それは、ユスティノフ氏の声でした。

彼は、サインをもらいに来た人たちに取り囲まれると、根気よく相手をしていました。私は、サインをもらいに来たと思われるのが恥ずかしかったので、後ろのほうで突っ立っていました。やがて、誰もいなくなり、私とユスティノフ氏だけになってしまいました。私はサインが欲しいわけでもなく、かといって何かをしようとしていたわけでもなく、ただユスティノフ氏を見つめていたため、彼は困惑していたようでした。すると、沈黙を破り、私に尋ねてきたのです。「お食事はおすみですか？」。私はびっくり仰天してしまい、つかえながら答えました。「は、はい、あの、い、いいえ、その、まだなんです！」「それでは、私のお相手をしてくださいませんか？」。私は車の中で、彼の隣でぼうっとのぼせたように座っていました。そして、レストランへ行き、ジャガイモ添えのホワイトアスパラガスと、生クリームのかかったイチゴをデザートに食べ、いろいろな国の言葉や方言で楽しくおしゃべりしました。

彼が車で私を送り届け、紳士的に別れを告げたとき、私は自分の願いの力に満足以上のものを感じていました。

私は、ピーター・ユスティノフ氏と楽しい夜を過ごしたのです！

この体験で、私は疑いから一気に解放されました！　信念は山をも動かす、自分の力を信じれば報われる、ということを確信した出来事でした。

誰かのためによいことをお願いできる？

誰かのためによいことをお願いできることはもちろんできます。こういったお願いはとても影響力があります。しかし、願いを受け取る本人が望んでいるときだけしか、効果はありません。**本人が望んでいなければ、人のために健康や成功を願うことはできません。**

当然のことながら、私たちのポジティブな願いのエネルギーを、他人の願いを達成させるために活用することができます。しかし、受け取る側の願いと一致していなければなりません。

ですから、私の場合、その人のために願ってもいいかどうか、本人に尋ねます。そうでないと、相手はまったく無関心なのに、私はひとりでむなしくお願いすることになるからです。けれども、その人が私の送るエネルギーを歓迎すれば、私のエネルギーはその人の願いのエネルギーを支援し、大きな力にすることができるのです。このように力が合わさって一つになったエネルギーは、その人をとても勢いづけてくれます。試験や面接といった場面で、ちょうどよいタイミングでエネルギーが合わされば、そのエネルギーが、とても大きな効果を発揮します。たとえば、就職の面接試験で、友人のためにみなで力を合わせてお願いするとします。その場合、雇用者が友人を雇う気になる、というような作用の仕方はしません。そうではなく、緊張や不安のせいで失われかけていた友人の本来の能力が高まるのです。これがうまくいくと、どんなにすばらしいことか、ミュンヘン在住のアンケさんの成功体験を紹介します。

妹の就職を願う

ピエール様

私は、何度もお願いするうちに、自分のことだけでなく、他の人のためにもお願いするようになりました。そうしたお願いもうまくかなえられています。というのも、私の妹と妹のボーイフレンドは就職先を探していました。六十社以上に履歴書を送ったのですが、面接さえも受けさせてもらえない状態が続いていました。そんなあるとき、私は、本命の会社の面接を受けられるよう宇宙にお願いしてほしい、とふたりから頼まれたのです。お願いした結果、ふたりは面接を受けられることになったのですが、それがはじめての面接であったばかりか、ふたりとも願いどおりの職種で採用されたのです。こうして、ふたりはマインツからミュンヘンへ引っ越してくることになりました。今度は、ちょうどよい家が見つかるよう、再び宇宙にお願いしました。ふたりは今月末に引っ越してきます。すばらしいと思いませんか?

ミュンヘン在住　アンケ

いっしょに願うとき、必ずしもみんながお願いの言葉を声に出す必要はありません。無言で願っても、同じ方向に引き寄せられます。

患者の回復を願う医師

「患者さんのために最善を尽くし、正しい決断を下せますように」と常にお願いしている医師がいます。患者さんも、同じ願いを抱いているはずです。彼女の診療所がとても繁盛しているのは不思議なことではありません。このお願いの言葉は、とても効果があります。彼女は、まず、自分自身のこと、そして仕事の方法、さらに創造的なアイデアを得ることによって、人に尽くしたいと願います。彼女は、お願いすることによって、自分の中にあるすべての創造的なエネルギーを利用し、ひらめきがわくことを期待しています。その結果、いつでも最高の治療法が見つかります。それに加え、患者さんを引き寄せることも願っています。こうして、彼女には最善の治療をしてもらえると無意識に感じている人たちが、診療所に集まってくるのです。

両親にとって一番いい解決法を望む

親愛なるフランクさん

『宇宙に上手にお願いする法』は、私がほとんど絶望的な状況にいるときに、物事は、自分が願ったとおりになるということを教えてくれました。

物心がついてから、私の両親は常に商売を営んでいました。ふたりは一九八〇年代中ごろから、ベルリンの目抜き通りクーダムにあるとても有名なレストランを経営していました。当初は、店もとても繁盛し、私たち家族にとっては黄金時代でした。しかし、このレストランもいつしか経営が悪化し、諸経費の支払いも不可能な状態に陥ってしまいました。それだけでなく、両親は自宅の家賃も支払えなくなり、即刻退去の命令まで出されてしまったのです。

私と母は、レストランが閉店に追い込まれるぎりぎりまで、もっと客足が伸びますように、売り上げが伸びますように、とお願いしていました。でも、成果はありませんでした。あるとき、この願いは正しい願いではないのかもしれない、と気づきました。私たちの願いがかなえられなかったのは、ネガティブなエネルギーがたくさん流れていたからです。私たちの疑いの気持ちも含まれていたことでしょう。私たちは自分の思いによって自分の世界を形成している、ということが、またもや証明されたのです。

私たちがお願いした方向は正しかったのですが、願いの言葉がどうやら的確ではなかったようです。そこで、私は、「上手に願う」ことを教えてくれた親友のベアと話し合いました。私たちはいっしょに願いごとや夢を思い描き、意見交換し、新しい考え方を学びながら過ごすことがよくありました。私は彼女と過ごす夜が大好きでした。ある夜、彼女と話し合っていると、私の心の深い部分からわき上がるように涙がぼろぼろこぼれてきました。すると、自分の心からのお願いがはっきりとわかったのです。とても簡単なことでした。私は、両親が抱えている問題が解決されることを望んでいたのです。一番いい解決策が何かはよくわかりませんでした。店を閉じることになったときには反発を感じました。けれども結果を受け入れると、それこそが正しい道であったことが、しだいにわかっていったのです。

抱えている問題を解決するために、両親は職業安定所を訪れ、援助を求めることにしました。住宅扶助を受け、健康保険にも加入できるようにしてもらえました。これで私の心の重荷が下りました。ふたりとも、心身ともに疲れ果てて、彼らが深刻な病気になっても医者にかかれないのではないかと心配していたからです。私の願いは聞き入れられたのです。しかし、これですべてが解決したわけではありません。両親の苦しみは、私の心にまだ重くのしかかっていました。母はこのことが原因で倒れてしまうのではないかと思うほど、衰弱していました。私も深い悲しみの中にいました。母は家を失い、橋の下で暮らさなければならなくなるのではないか、と不安に思っていたのです。しばらくすると、両親は安い家を見つけ、引っ越ししました。それでも、問題はたくさん残されていました。洗面所には洗面台がついていませんでしたし、洗濯機の配管も整っていませんでした。とても快適に暮らせる状態ではありませんでした。いつか家賃が払えなくなってこの家も追い出されるのではないか、と母は不安を抱きつづけていました。私は再び宇宙に願いを送りました。私は、両親のために未払いになっている借金を全額返済し、マンションを買えるだけの大金を願い、宝くじを買ったのです。お金が手に入ると確信していたからです。しかし、誤った考えでした。なぜなら、宇宙には願いがかなえられる方法までも指示することはできないからです。

私は『宇宙に上手にお願いする法』を手に取り、もう一度読んでみました。駐車場をリクエストする願いに励まされ、願いを明確に述べました。ちょうどそのとき、夫と私が暮らしているマンションの最上階に、物件が二つ売りに出されていました。そこで私は、そのうちの中庭に面した家は私のものになる、とお願いしたのです。すると、祖母から電話がかかってきました。祖母も両親の苦況にとても心を痛めていたのです。そこで、父の姉妹とみんなで力を合わせて、両親のためにマンションを買うことに決めた、と言うのです。父への遺産の生前贈与という形でしたが、借金に負われた父と母が住む家を失わなくてもすむように、マンションを私名義にするということでした。私の願いはあっという間にかなえられました。この体験を通し、疑いをもたず、宇宙に向けて本当に心から願ったことは、ちょうどよいタイミングでかなえられるということがよくわかりました。

今、両親はすぐそばに住んでいるだけでなく、私を全面的に支えてくれる時間と力もあります。私には、もうじき第一子が誕生します。両親が事業を営んでいたときには、家族みんなで心から幸せを分かち合うことは考えられないことでした。しかし、今はこれからの日々を心から楽しみにできるのです。そして、両親もある程度経済的に安定し、喜びを感じられる仕事が見つかるよう、彼らが再出発できるよう、一致団結してお願いするつもりです。

読者のみなさんも上手に願い、多くの成功体験をなさることを願っております。

ベルリン在住　メラニー

他人に対し、よくないことをお願いできる？

対象となる人が、しっかりとしたエネルギーで自分をガードしていなければ、願いのエネルギーでその人にネガティブな影響を与えることができます。

願うときにテーマになるのは、いつでもエネルギーです。他人をネガティブに操作しようとするような願いは、人を邪魔するエネルギーを築き上げます。そのエネルギーは対象となる人に向かい、力を弱めるのです。はっきりとした自分の意志がない、感情に流されやすい、あるいは人生の計画をしっかり立てていない人は、たいてい外部のエネルギーに対してすきがあり、影響を受けやすいものです。そういう人は、まったく無防備で、外部から来るものをすべて吸い取ってしまい、しょっちゅう進路を変えることになります。

もちろん、私たちはこのような種類のエネルギーとかかわり合うべきではありません。

なぜなら、他人を操作するネガティブなエネルギーは、遅かれ早かれ自分に戻ってきて、自分では望んでいないことが人生に引き起こされてしまうからです。つまり、意識的に他人を妨害したり、操るようなエネルギーを放つと、自分自身もそのような攻撃に対し心を開いていることになるのです。

共鳴の法則によって、自分自身を同じマイナスの方向へ導き、そうしたエネルギーの中に引きずり込み、他人の人生を操作したがる人ばかりを自分の周囲に引き寄せてしまいます。あなたが今、自分のことで誰かに口出しされるようであれば、あなた自身が他人を操作し、その人を変えようとしていないか、あるいは、したことがないか振り返ってみましょう。**悪い習慣を改めるかどうかは、本人の問題です。**

私たちは、願いのエネルギーで、特定の人に影響を及ぼすことができるものの、相手に歓迎されないようなエネルギーを発信すれば、それによって、自分では避けたいと思っていることを自分の人生に引き寄せてしまいます。さらに、願われた当人は、私たちの願いを無理強いされるわけですから、いずれ、その状態から抜け出そうとします。これでは願ったほうも、願われたほうも幸せにはなれません。どの方向に願いのエネルギーを向けたらいいのか、ともに考え、エネルギーを強めることができれば、それにこしたことはありません。

他人のエネルギーから自分を守るにはどうしたらいい？

自分のことをお願いしていると、この疑問は自然とわき上がってくるものです。誰だって、他人に決められた人生を歩みたくありません。他人の操作から自分を守るためのとても簡単な方法があります。自分を守る力が十分でないと感じるとき、私もよくこの方法を用いています。

夜、寝る前に思い浮かべてみてください。あなたは小さな金色に輝く光のボールの中にいます。あなたは、その中心に横たわっています。この光のボールは、一晩中、あなたを守ってくれるのです。

もちろん、昼間に行ってもかまいません。あなたが自分の願いのエネルギーに満たされていないと不安を感じるとき、そのような光のボールの中に身を置くのです。これこそが、他のエネルギーに対抗するために、もっともよい方法です。

他人のエネルギーから自分を守るお願い言葉

☆私は自分の中心にいます。

☆私は幸せで、満足しています。

☆私の人生に起こるすべてのことは、私の意志で引き起こされています。

☆私を支配するのは、自分自身です。

☆外からのインスピレーションを受け取る準備ができています。でも、受け入れるかどうかは、自分で決定します。

☆私は自分の人生を、自らの手でつかみます。
☆ネガティブなエネルギーはすべて跳ね返り、送り主に戻っていきます。

ふたりで同じことを願う

私たちが自分とパートナーに対してできる最高の贈り物は、共通の目的を見つけ、いっしょに願いのエネルギーを発信することです。

ふたりが一つの目的に向かい、それをいっしょに実現しようとすると、その願いは二倍のエネルギーを授かり、非常に強い力が備わります。ともに願うことで、達成力が強まり、願いが早くかなうのです。**いっしょに願うと早く実現します。**

どんな場合にも、共通の目的を探すことはとても大切なことです。友情、性的な関係、仕事のつながりなど、どんな関係でも共通の目的を見つけましょう。

複数の人で同じ目標に向かえば、ひとりよりもはるかに大きな力を外に向かって発揮することができるのです。

＊パートナーとは、どんな願いをいっしょに達成できるかを、つきあいはじめたときだけでなく、その後も常に話し合いましょう。

＊自分に必要なものや願いは、時とともに変わります。いつの間にか、はじめとまったく違うことを願っているのも珍しいことではありません。

＊ですから、共通の願いを書き出しておきましょう。いつでも、本来の願いに立ち戻ることができますし、書くことで、お願いの内容に食い違いが生じるのを避けることもできます。

共通の目標をもつことに不安を感じる必要はありません。いつか、その願いを変更する必要があれば、ふたりが気に入る新しい願いをリクエストし、さらに強くなった力で新しい目標をめざせばいいのですから。

＊パートナーとの共通の目標にふさわしい、ふたりのお願い言葉を考えましょう。
＊お願い言葉を紙に書き、携帯しましょう。財布やズボンのポケットに入れておきましょう。また、机の上の目立つところに置いておくのもいいでしょう。
＊いつでも願いを思い出せる、ふたりのシンボルマークを考えましょう。
＊お願い言葉やシンボルマークに、思いを集中させればさせるほど、早く、大きな結果となって願いが届けられます。
＊それによって、ふたりの関係はさらに密接になり、固く結ばれるようになります。

共通の目標をたくさん見つければ見つけるほど、その関係は密接でゆるぎないものになります。

私たちは誰でも、そのような信念をもったカップルに出会ったことがあるはずです。彼らは、共通の目的というすばらしいもので結びつき、他の人たちより、はるかに多くのことを成し遂げています。ほとんどの場合、そのようなカップルは、自分たちが達成したい目標に一丸となって取り組んでいるのです。

共通の願いをさらに強くする法

共通の願いに特別な力を与える方法があります。効果的な方法は、儀式を執り行うことです。儀式が行われることによって、願いに真剣さが増し、エネルギーの効果が長く持続します。これは、教会で信者たちが一斉に祈ることに似ています。信者たちは、同じ行動をとります。厳格に取り決められた儀式の中で、全員で一斉に祈りの文句を唱え、心から誓うのです。祈りは牧師や司祭によって宣言され、アーメンという言葉で結ばれます。すると、祈りはとても効果的にエネルギーの旅に送り出されるのです。**儀式は願いの力を強めます。**

それと似たようなことを、カップルの間でも執り行うことができます。願いに必要な力を授けることは大切です。もっとも望ましいのは、自分たちの願いのために独自の儀式を行うことです。

＊静かで、邪魔の入らない、儀式にふさわしい雰囲気をつくり出します。そうして特別な

瞬間をつくり出して儀式を執り行うと、そのカップルに思いがけない飛躍がもたらされることがあります。

＊夜、キャンドルに火をともし、目標を決め、その目標にふさわしい力強いお願い言葉を考えます。お願い言葉を書き出し、ふたりでいっしょに声に出して読んでみましょう。

＊あなたが信じていることを言葉にしましょう。あなたの言葉の力を信じましょう。

それは、目標はさまざまですが、結婚の誓いと似ています。結婚の誓いは、儀式の中で、婚姻関係という目的を宣言しています。誓いによって生まれるエネルギーは、その目的を追いつづけたために、長期間にわたって十分な力を保ちつづけます。独自に執り行う儀式でも、将来の目標である願いをふたりで述べる点では、結婚の誓いの儀式と同じなのです。

ふたりが同じことを願うことには、さらに大きなメリットがあります。どちらかに迷いがあったり、疑いをもちはじめたりするときに、もうひとりが、相手をその「穴」から救い出し、エネルギーの流れに戻してあげられるからです。そうすると、ひとりでがんばっているより、早く不安や疑いから立ち直れるのです。

＊パートナーとの関係に、新鮮さを取り戻したいのであれば、愛の告白をするときのよう

に、パートナーを受け入れる、と宣誓する儀式を行うと効果的です。
＊その儀式は、ふたりきりでもいいですし、小さなパーティーの席や安心できる場所に友人を招いて行ってもいいでしょう。
＊次のような誓いの言葉は、パートナーへの願いを宣言するものです。
「私には、最高にすばらしいパートナーがいます。あなたを私のところへ導いた運命に感謝します。あなたの愛は私を厳かな気持ちへと導き、私に力を与えてくれます。その力で、私はどんな困難も乗り越えられるのです。あなたが示してくれる誠実さや力強さ、そしてどんなときでも私を支えてくれることに感謝します。私はあなたの一部です。あなたが私の一部であるように。私はあなたに出会えたことに、幸せと喜びを感じています」

この願いの言葉をじっくり観察してみると、たいていの文章は、「私」が主語になっており、そうでないものは、はっきりとした願いが述べられています。パートナーの前で声に出して宣誓することにより、新たにまた、恋するような気分になるのです。こうして、愛情は長期間にわたって安定します。もちろん愛情に限ったことではありません。まったく別のことを願ってもいいのです。たとえば仕事上の共通の目標、家を建てること、幸せな家庭を築くこと、ふたりにとって重要なことであればどんなことでも願えます。私は、自分でつくったお願い言葉で共通の目標に向かって宣誓し、大成功を収めた夫婦を何組も見てきました。お願い言葉によって、共通の計画を思い起こしては、いっしょに目的に向かっていくのです。あなたが大きなことを成し遂げたいのであれば、次の三つが役に立つでしょう。それは、共通のお願い言葉、共通の儀式、ふたりが目標をすぐに思い起こせる共通のシンボルです。

＊ともに発信するお願いには制限がありません。達成不可能に思われる目標であってもお願いすることはできます。

＊共通の目標は、他人に話したり、ひけらかしたりしてはなりません。そうすると、パートナーとの関係が弱まってしまいます。

私とミヒャエラも、ふたりの関係を強め、嵐《あらし》が吹いてもゆるがないようにするためのふたりの願いをもっています。その願いは、自分たちだけの問題であり、他人にはまったく関係ないことなので、誰にも話しません。
ここで、微笑《ほほえ》ましいカタリーナさんの体験談を紹介しましょう。

恋した少年が振り向いてくれるようお願いする

私はある少年に恋しました。彼の名前はデニス。ある夜、私はベッドに横になると神様にお願いしました。「神様、どうかデニスが私に振り向いてくれるよう、導いてください」。私は心の底からお願いしました。もちろん、もっと大げさにいろいろな言葉でお願いしましたが。すると翌朝（本当に翌朝だったのです）、友人が私に言いました。「カタリーナ、ねえ、聞いた？　デニスがあなたのことを好きだって」。さっき自分で仲間にしゃべってたわよ」。ところが、学校にはデニスという少年が二人いたのです！　私は、お願いするときに名字をつけるのを忘れてしまいました。もちろん、私に恋してくれたのは、もうひとりのデニスでした！

カタリーナ

自分の子どものことをお願いできる?

親であれば誰でも、子どものために最高の状態を手に入れてあげたいと思うのは当たり前です。それでは、自分の子どものためにも願えるのでしょうか?

もちろんできます。ただし、その際、次の五つの点に注意したほうがいいでしょう。

- 子どもも同じ願いを抱いていること。
- 親が子どもの願いを支援するのを、子ども本人が許可してくれていること。
- 子どもの素質にそぐわない、親のエゴによる願いでないこと。
- 子どもに対し、ネガティブなことを考えないこと。
- お願いの言葉は、注意深く選ぶこと。

とくに注意しなければならないのは、不安を抱きながら願ってはならない、ということです。このようなネガティブなエネルギーは、子どもたちにとくに大きな障害を引き起こします。

次に紹介する体験談は、親子でいっしょに願えばすべてが可能になることを教えてくれます。

娘のためにポニーをお願いする

娘のメラニーは、幼いころからポニーを飼うのが夢でした。彼女はそのことで私をいつも困らせていました。あのときも、いつものようにこう言い出したのです。「ママー！　もし、ポニーがいたら……」。私はひどくイライラしながら言いました。「メラニー。よく聞きなさい。どこかで引き取り手のないポニーがいたら買ってあげるから。さあ、あっちへ行ってお願いしてきなさい。わかったらこれ以上しつこくせがまないで」。さて、不思議なことに、それから娘がポニーの話をすると、私はいつもハフリンガー種のかわいらしいメスのポニーの姿を思い浮かべるのでした。さらに、まるで催眠術にでもかかったかのように、気がつくと馬小屋のある近所の家を訪れ、馬を飼うかもしれないので馬小屋を一頭分貸してもらえませんか、と真剣に尋ねていたのです。馬小屋の持ち主の女性と楽しくおしゃべりし、家路を急ぎながらふと思いました。「私は頭がおかしくなったのかしら。よりによって、馬のことを考えるなんて！　うんと離れたところにいる馬ならまだ耐えられるけど、自分で馬を飼うなんてとんでもないわ」。私は馬を怖いと思っていたのです。

さて、もうすぐクリスマスというころ、八歳の息子には、すでにプレゼントを用意しましたが、十歳の娘にはまだ何も用意していませんでした。私の中の何かがほんの小さなプレゼントさえも買わせなかったのです。私はどうかしてしまったのでしょうか？　メラニーもポニー以外、欲しいものなどありませんでした。クリスマスが目前のある日、電話が鳴りました。メラニーにちょうどいいポニーがいるよ、と知り合いが教えてくれたのです。

「冗談でしょ。どこで飼えっていうのよ。馬にかかるお金も払えないわ。家賃を払うのでさえやっとなのに」

私はとっさに思いました。しかし、不思議なことに、私の頭からはポニーのことが離れませんでした。私はリモコンで操作されたかのように、無意識にポニーの持ち主に電話をかけると、ポニーを見に行く日を約束していました。それから、先日訪れた馬小屋のある家を再び訪れ、馬小屋に空きがあるかどうかもう一度尋ねました。しかし、やはり空いていませんでした。そこで私は思いました。しかたないわ。あきらめましょう。その晩、私たち親子はその馬小屋の持ち主に招待されました。みんなでしばらく語り合っていると、彼女が言いました。

「今年はクリスマスツリーの飾りつけはおあずけにして、メラニーのポニーのために納屋を整えることにしましょう」

私は気絶しそうなくらい驚き、何とお礼を述べたらいいのか、言葉が見つからないほどでした。家へ帰ると、さっそく馬の持ち主に電話し、先ほど取り消したハフリンガー種「エリーザ」の見学日をあらためて決めました。十二月二十三日。とてつもなく寒い日でした。私は子どもたちに留守番をさせ、ひとりで出かけていきました。ポニーのことを考えると不安で不安で、おなかがちくちくと痛みました。馬小屋に入って、不安を抱かずに触ることができたら馬を買おう。三〇〇ユーロくらいならいいけれど、四〇〇ユーロだったらやめようと考えていました。そんなに金銭的な余裕がなかったからです。ところが、いざポニーと対面してみると、あまりのかわいらしさに、その瞬間からポニーを好きになりました。すると、売り主は言いました。「クリスマスなので、三〇〇ユーロでいいですよ」。私はただただ驚くばかりでした。ところが、夢はいきなり終わりを告げました。馬を運ぶトレーラーのブレーキが故障し、ポニーを運べなくなってしまったのです。私はひとりで帰らなければならなくなってしまいました。いったいどういうこと？　何もかもが順調に運んでいたのに、どうして急にダメになってしまったの？　私は天使を叱《しか》りつけました。すると、答えが返ってきたのです。「すべてがうまく進んでいるというのに、おまえがいまだに疑いを抱きつづけているからうまくいかないのです！」と。そのとおりでした。私は疑っていました。それも、とても疑っていたのです！　私にできるかどうか、自信がなかったのです。高価な買い物だし、維持費も予算を超えている。私には馬を飼うことなどできるはずがない。馬を怖いとさえ思っている。どうやってうまく乗り切ることができるだろう？　そんな思いを抱きつづけていたのです。

そこで私はお願いしました。「このポニーが私たちのところへ来るべきならば、はっきりとしたメッセージをください。私はもう一度、取りに行くことはできないので、どうか届けてください」と。そのとき、私はこうも考えていました。「なんてことかしら。娘へのプレゼントがないわ。今さら間に合わない。メラニーにはポニーという特別なプレゼントがある、と私がひとりで満足していたせいよね」。私が半べそをかきながら家に戻ったときには、子どもたちはすでにおとなしく寝ていました。

そのとき、携帯電話が鳴ったのです。ポニーの持ち主からでした。「明日十一時にエリーザをつれてお伺いします。娘さんがクリスマスに受け取れるようにね！」。私は口をぽかんと開けたまま、床にへなへなと座り込んでしまいました。メッセージが届き、私の願いがかなえられたのです。信じられませんでした。私は落ち着きを取り戻すと、かごにニンジンとリンゴを詰めました。

娘は「ポニー夢見日記」のようなものをつけていたのですが、私はそれに「名前はエリーザ。しっかり面倒みるのよ」と書き込み、かごの中に入れました。それから子どもたちを起こし、明日は朝から忙しくて時間がないので、今ここでクリスマスプレゼントを渡したいと言いました。息子のマヌエルは大喜びし、勢いよく飛び出してきましたが、メラニーはがっくりと肩を落とし、あとからとぼとぼとついてきました。

マヌエルはすぐにプレゼントに飛びついていましたが、メラニーはというと、スノードームの入った小さな包みと、弟あてのたくさんのプレゼントを見比べ、けなげに涙をこらえていました。「メラニー。かごの中は見ないの？」。ニンジンとリンゴの入ったかごの中にノートを見つけ、それを開いた彼女は呆然《ぼうぜん》としていました。「名前はエリーザ……ママー！　うそじゃない⁉」そう言うと、彼女は私の首に抱きつきました。この瞬間の出来事は、誰にもまったく想像がつかなかったことでしょう。

あのときのことを思い出すと、今でも涙がこぼれます。そんなにも感動的な奇跡だったのですから！　エリーザはとてもかわいく、おとなしい、忠実なポニーです。たとえ、家計が苦しくても、エリーザをけっして手放しません！

アンドレア

子どもと共通の願いをもつ

子どもの願いがもっとも実現されやすいのは、親子でいっしょに同じ目標に向かって努力するときです。ですから、まずしなければならないことは、我が子がどんな願いを抱いているのか見つけ出すことです。**どの子も自分の願いや憧れを抱いています。**

たとえ、願いを言葉で表現できなくても、輪郭がぼやけていても、子どもはみな、将来の夢や希望をもっています。それなのに、親がその願いをよく理解していなかったり、はねつけたりすると、将来、子どもと意見が激しく対立することになりかねません。

親は、自分の思い描いている理想と合わないからといって、子どもが本来もっている才能を開花させる邪魔をしているのです。親が、世の中に対する自分の意見や、自分ができなかったことを子どもに押しつけようとしたり、無理やり成功させようとしたり、あるいは自分の後を継がせ、自分の人生をそっくりまねさせ、さらに発展させるようとするというのはよくある話です。しかし、そうすることで私たちは子どもから自主性と自らの力で人生を切り開くチャンスを奪っているのです。子どもの意見も聞かず、親が自分の考えを押し通そうとすれば、親離れの段階で子どもに抵抗され、親は一撃を食らうことになるのです。

反対に、たとえば試験に合格するといったような、子どもが自ら抱いている願いに協力し、いっしょに願ってあげれば、願いのエネルギーはとても強まり、成功を収めることができます。子どもがそのことを承知し、受け入れたときにはとくに効果を発揮します。子どもの心のバリアが開き、私たちの願いのエネルギーが流れ込み、力が強まるからです。

子どもの願いのエネルギーは、第三者に支援されることによって、推進力を増し、予想を超えるような大きな成功へと導かれます。そうした状況は奇跡と呼ばれますが、実際にはこれは奇跡ではありません。二倍になったエネルギーの推進力によって、本人の潜在能力が活発になっただけのことです。そうなると、子どもは活発になった才能を自由に使うことができるのです。

子どものために何かを願うのは、子どもの成功を導くとても強力な手段です。子どもに意欲を起こさせ、「不可能」なことを達成させる十分な自信を与えることもできます。**親子でいっしょに願うと、子どもは新しい世界に導かれます。**

たとえ問題が山積みであったとしても、子どもは、守られていると感じ、安心感を得ます。認められているという気持ちにもなるでしょう。そのようなエネルギーに満たされると、子どもは世の中を今までとは違った目で見るようになるのです。

入学試験を突破するよう友だちみんなでお願いする

ティナが十四歳の誕生日を迎えたときのことです。私たちはみんなで彼女の願いをかなえるために、たくさんのエネルギーをプレゼントしました。彼女の夢は、特別な学校に行くことでした。しかし、六十名の定員に対し、応募者はなんと九百名！　合格するのは、至難の業でした。彼女は、私たちみんなで力を合わせたエネルギーに守られて、試験に臨みました。これ以上説明する必要はありませんが――彼女は、合格しました！

コルドゥラ

自分勝手なお願いには気をつけよう

客観的にみて、身勝手なお願いと思われるものには、注意しましょう。自分の見栄のために子どもを一番になるようにと追いつめてしまう親に、誰でも一度は会ったことがあるでしょう。

そのような願いがかなえられるには、驚くほど長い時間がかかることがあります。それは、子ども自身が自分の願いをうまく絞り込めず、自分の進路も全然わかっていないのに、親の願いを自分の願いにしてしまうからです。そうなると、子どもが望むことはただ一つ。親を喜ばせ、自分を誇りに思ってもらうことです。子どもには、自分を発見することがどういうことなのか、まだわかっていません。ですから、他人に決められた願いを鵜呑《うの》みにします。これは、一種の操作です。そんなことをしてしまうと、子どもたちはその後の人生でつらい思いをしなければなりません。つまり、これまでやってきたことはすべて、本当は自分にふさわしいことではなかったのだと「突然」気づくときが訪れるからです。四十代、五十代になってようやく自分らしい生き方に切り替えることのできた人に会ったことがありますが、そういう人たちは、たいてい幸福ではありません。なぜなら、彼らの過去は、自分自身を生きていない、他人に決められた人生だったからです。

ですから、親である私たちは、自分の理想をひとまず忘れ、子どもの才能を見つけ、引き出してあげることが大切です。子どものためを思って考えていたことは、この際、重要ではありません。

しかし、子どもの意見を尊重することは、必ずしもたやすくありません。それでも、幸せが続くための唯一の方法なのです。子どもの夢を応援し、積極的に願いのエネルギーを送りながら後押ししてあげましょう。そうすれば、私たち自身にも子どもにも、悩みはなくなるのです。

自らの道を見つけられるよう子どもを支援するお願い言葉

☆あなたの願いはすばらしい。私は、すべてのエネルギーをあなたに送ります。そのエネルギーはいつもあなたに寄り添い、夢を実現するための味方になってくれます。

☆あなたの願いは私の願いです。

☆そのままのあなたを愛しています。

☆あなたはすばらしい。そして、あなたの存在は、この世にたった一つです。

☆そのままのあなたで大丈夫。

☆人生はあなたのもの。

☆私は、あなたが目標とすることを応援しています。

☆私は、あなたの夢を応援します。

☆私は、あなたの夢を願います。そのエネルギーはいつもあなたのそばにあります。

試験を応援するお願い言葉

☆あなたが健康で、元気に、そして力強く、試験を乗り切ることができるように、エネルギーを送ります。

☆あなたはベストを尽くします。

☆すべての答えは、ちょうどよいタイミングで思いつきます。

☆あなたは、したいことを、すべて成し遂げます。

子どもの人生設計を応援するお願い言葉

（「子ども」を本人の名前に置き換えてください）

☆私は、子どもがしようとしていることを応援しています。

☆子どもの願いを私の願いにします。

☆子どもは、自分のやりたいことをすべて成し遂げます。

☆子どもは守られています。

☆私は、思いの力で子どもを守ります。

☆私は、自信をもって子どもの成長を見守ります。

☆子どもが自分の道を見つけることは、私の大きな喜びです。

☆子どもは幸せで、満足しています。

☆子どもは自分の道を歩みます。

☆子どもは力強く、賢い子です。

☆いつでも、大きな喜びをもって、子どものすばらしい成長を見守ります。

☆子どもは自由です。どんな瞬間にも、子どもの自立を応援します。子どもは、力強く、自由に、聡明《そうめい》に、そして慎重に自分の道を歩みます。

「私」が主語になっている言葉は、とても力強いエネルギーを備えていることを、けっして忘れないでください。これらの言葉は、お子さんに声に出して伝えてもいいですし、お願い言葉として唱えることもできます。次の言葉を子どもにくり返し伝えたり、心の奥深くで感じると、力強いエネルギーとなり、それを子どもに与えることができます。

子どもにエネルギーを与えるお願い言葉

☆私はあなたのそばにいます。

☆私は、思いの中でいつでもあなたの力になっています。

☆私は、あなたの計画がすべて成功すると、心から信じています。

☆私は、あなたを心から信頼しています。

☆私は、あなたを誇りに思っています。

☆あなたが自分の道を見つけたことを、うれしく思います。

以下は、子どもに成功をもたらす言葉の中で、もっとも力強い言葉です。

子どもにもっともエネルギーを与えるお願い言葉

☆愛してるよ。大好きだよ。

俳優のアーノルド・シュワルツェネッガーは、インタビューで成功の秘訣《ひけつ》を聞かれると、「母がいつも、『大好きだよ』と言ってくれたから」と即答したそうです。

毎晩、私は娘のユリアと、「大好きだよ」とお互いに伝え合ってから就寝します。それはとても大切な習慣になりました。これによって、私たちは心の奥深くから、お互いを結びつける愛情を感じています。

このような愛情を自覚していると、子どもに力がみなぎってくるばかりでなく、失敗も恐れなくなり、どんなことでも達成できるようになるのです。**自分が愛されているとは気づかずに、愛されている子どもはたくさんいます。**

とはいえ、思春期を迎えた子どもには、このようなことを伝えたところでうまくいかないこともあります。たいてい、激しく拒否されてしまうからです。けれども、愛していると言いたい気持ちがあるのであれば、そのまま言いつづけたほうがいいでしょう。なぜなら、これらの言葉は、意識の深いところでそのまま吸収しつづけられるからです。また、子どもにとって、思春期ほど不安定な時期はなく、十代の終わりころまでは、強く孤独を感じているからです。

言葉選びに気をつけよう

お願いするときにもっとも大切なことは、正しい言葉選びです。願いがかなえられない一番の原因は、言葉選びを誤ることです。自分ではいいことを意図したつもりでも、誤っているのです。あなたにも、次のような言葉に心当たりがありませんか？

◆車にひかれないように気をつけなさい。
◆絶対に、赤信号で渡ってはダメよ。
◆道路は危険よ。
◆通りで、子どもがよく車にひかれるのよ。

これらの言葉（願いといったほうがいいかもしれません）がもっているエネルギーは、それを言われた子どもについて回ります。これらの警告とともに、子どもは外の世界に飛び立つのです。すでに学んだようにように、「～ない」という言葉を含む表現をすると、私たちの思いは、まず、避けなければならないことに取り組みます。つまり、無事に道路を渡れるという子どもの自立よりも、私たちの抱える不安や逃避が先立ってしまうのです。
するとと子どもは、信用されていない、本当にできるとは思われていない、と感じます。親としては、疑いや不安を抱くのは当然のことなのですが、それによって子どもに負担をかけているのです。私も交通事故の危険性を考え、よく娘のことを心配しています。それでも、自分の不安を子どもに重荷として背負わせることは、子どもの助けになりません。「車にひかれないよう気をつけなさい」という表現は、子どもには不安のエネルギーしか伝わりません。こうして、子どもに心配のたっぷりこもったエネルギーを背負わせてしまうのです。一番いいのは、子どもに自信と信頼を与えることです。私たちがどんなに心配していようが、目的は、子どもが慎重になることです。

子どもの注意力を向上させるお願い言葉

☆あなたは安全に守られて、無事帰宅します。

☆私は、あなたが慎重に道を渡ると信じています。

☆あなたは信号に注意することができます。そして、青のときだけ横断歩道を渡ります。

☆車に注意するのに、あなたは十分な年齢です。

☆あなたがそんなにも賢く、慎重になれることを、私は喜んでいます。

☆あなたはみんなのお手本です。

☆私は、あなた自身とあなたの慎重さを信じています。

☆あなたの自信は、きっとその日一日あなたに寄り添っています。

☆私の守護天使はあなたのそばにいます。

☆私のエネルギーはあなたに寄り添い、あなたを守っています。

☆あなたは守られています。

最後に、おもしろい話を一つ紹介しましょう。子どものために願うことは、もちろん、出産前からでもできるのです。

意志の強い子を願う

出産予定日が魚座と牡羊座にまたがる日だとわかったとき、妻のミヒャエラは、子どもが魚座よりは牡羊座で生まれてくることを望んでいました。そして、「魚はダメよ、魚なんてとんでもない」とくり返し言いました。私たちはとても騒々しい夫婦なので、意志の強さも兼ね備えていたほうがいいと、彼女は赤ちゃんに牡羊座で生まれてくるよう促していたのでした。

そして、娘は本当に牡羊座で誕生しました。おなかの中で聞かされていたとおり、意志の強さはただものではありません。しかし、私たちがもっとも驚いたことは、娘は幼いころから魚が大嫌いで、けっして食べようとしません。生はもちろん、フライも、ペースト状でもソースでも、どんなふうに調理してあっても絶対に口にしないのです。においをかいだだけで、後ずさりしてしまうほどです。今でも、レストランで注文するときには、妊娠中に言い聞かせていた母親と同じ口ぶりで「魚なんてとんでもない」と強調します。

まだ生まれていない赤ちゃんでも、自己というものが存在していなくても、子どもは母親が言ったり考えたりしたことを、自分のこととしてすべて吸収してしまいます。

あなたが特定の出産日を望む場合には、子どもの才能が向上される子どもにとって最良の日で、最高の条件をもたらす日を望んであげてください。

★第九章

もっと上手に
お願いするための
Q&A

★信じていることは、実現します。

★幸せに導くあらゆる解決法を歓迎しましょう。

★複数のことをお願いするのは、私たちの多くが毎日、上手にやっていることです。

Q：期限が迫っています、どうすればいいですか？

期限内にかなえられなければならないお願いはどうしたらいいのか、という質問をよく受けます。たとえば、決められた日時までに、家賃や借金などを支払わねばならないような場合です。そこで問題になるのが、「私は何月何日までに、いくらお金を手に入れます」というような願い方をしてもいいのか、ということです。

もちろん、そのようにお願いしてもかまいません。このようなお願いは、**正しく表現すれば、時間に合わせてかなえられることでしょう。**けれども、時限爆弾に取りつけられた時計のように、カチカチ音を立てながら時間が迫ってくるような状況だと、疑いをもたずに信じつづけるのは難しいものです。期限が近づくにつれてそわそわするようになり、願いがかなうこともだんだんと信じられなくなってきます。最後には、差し迫った「現実」に負け、避けようのない不幸を手に入れることばかりを考えてしまいます。しかし、「願いはかなう」と、気持ちを落ち着けゆったり構えていれば、「問題は処理されている」と、すんなり考えられるようになります。すると、ありえないようなタイミングで、宇宙によってきっちりと問題が処理されるのです。

期限内に問題解決

拝啓、フランク様

私たち夫婦は、小さな別荘をもっていました。電気も水道も通っていませんでしたが、自慢の別荘でした。しかし、この別荘を維持するには大変な労力が必要なのと、思っていたほど利用しないことに気づき、結局、手放すことにしました。ところが、このような物件を売りに出しても、そんなに簡単に買い手が見つかるものではありません。こういった余分なものにお金をかけられる人は、電気や水道、その他の設備が整った、もっと快適な家を買います。また、お金をかけたくない人は、少しでも安く買おうとします。しかし、私たちは、あとから自分たちで投資した分を購入価格に上乗せし、赤字にならないように売りたい、と考えていたのです。

七月から土地の販売広告を出していましたが、秋になっても買い手はつかず、見学希望者の数はどんどん減る一方でした。私たちが希望する価格で買ってもいいと思う人はいませんでした。十月も後半に入ったある日、私は「十月中に売れます」と、信念をもってお願いしました。それからの日々、私はリラックスし、暖かいお日様の下、ベランダで横になり日光浴をして過ごしていました。うまくいくと確信していました。するると、十月二十八日だったか二十九日だったか、正確な日付は忘れてしまいましたが、突然、夫が私に、あの物件にとても興味をもっている人がいるから、来週には連絡をくれるだろうと言ったのです。すると十月三十一日に、その人から電話があり、私たちの言い値で買い取りたいと申し出てくれたのです！　なんてすばらしいことでしょう！　期限の最終日に願いがかなえられたのです！　私はとても感動しました。

ベアーテ

ベアーテさんは、一瞬たりとも願いがかなうことを疑いませんでした。彼女には、願いが実現するとわかっていました。彼女は自分が発信したエネルギーを信じていたので、リラックスして落ち着いていられたのです。

もっとも彼女のケースは、家賃を払えないというような苦しい状況とは異なり、プレッシャーがそれほど大きくありませんでした。そのため、いくらか楽な気持ちで臨めたということはあるでしょう。エネルギーは、私たちの願いがどれほど緊急性を要するか、というようなことは配慮してくれません。エネルギーは、私たちが信じていることだけを届けてくれるのです。**信じていることは、実現します。**

私の個人的な経験によると、「私は何月何日までにいくらのお金を手に入れます」というようなお願いの仕方は、そんなにうまくはいきません。このように願うと、実際に、お金は期限ぎりぎりにならないと届かないかもしれません。そんな状況の中で、神経をぴりぴりさせることなく待てるでしょうか？　最後の最後まで、毅然《きぜん》として信じつづけることができますか？

「私は**遅くとも**何月何日までにいくらのお金を手に入れます」という表現も同様です。

この表現の中には、疑いがそれとなく表れています。「私はお金をもっと早くに手に入れたいけれど、できなければ、ぎりぎりになってもかまいません」と言っているように聞こえます。つまり、早い時期にはうまくいかない可能性もある、ということを考慮しているのです。すなわち、そんなにうまいぐあいにいくわけない、と思っているわけです。このように考えていると、願いにゆらぎが生じてきます。ですから、このような願い方は、差し迫った問題を解決するにはいい方法とはいえません。

時間が制限されている場合、私ならけっしてお金は願いません。最善の解決法だけをお願いします。さしあたり、お金が一番いい解決方法に思えても、私たちには思いもよらない、まったく別の信じがたい解決法が存在しているからです。ですから、私は問題の解決法を限定せず、宇宙が提供してくれるあらゆる方法を受け入れます。いい方向に進んでくれれば、それがどんな解決法であるかは、私にとってそれほど重要ではないのです。

たとえば、家賃の支払いが遅れている場合、次のように問題が解決されるかもしれません。家が急に改装されることになり、改装期間中、家主の提供するホテルに移るよう指示されるとします。でも、それを断念し、改装工事中でも騒音に耐えてホテル代を節約してあげれば、三か月分の家賃はただにしてくれるかもしれません。また、管理費を多く払いすぎていたため、家賃で相殺してくれるかもしれません。あるいは、家主に壁の塗り替えを頼まれ、労働費として家賃を安くしてくれるかもしれません。さらには、その家の家賃が適正価格よりも高すぎることを指摘してくれる人が現れ、家賃の値下げを交渉できるかもしれませんし、もっと条件のいい安い家を提供してくれる人が現れるかもしれません。思いがけなく、家を相続するかもしれませんし、人生のパートナーと出会い、その人の素敵な家でいっしょに暮らすことになるかもしれません。他にも、まだまだいろいろな可能性があるのです。

宇宙のアイデアは、私たちの理性がもっているアイデアに比べると、はるかに豊富だということを信じてください。

時間が限られているときのお願い言葉

☆すべては、私が満足するように進行しています。

☆私は、願いがかなうと信じています。

☆最高の解決法が、今、届くところです。

☆私は、自分の潜在意識に、自分が放ったエネルギーに、そして宇宙と人生の流れに、自分自身をゆだねます。

☆私の人生は、幸せで安らぎに満ちています。人生最高のことが、今、起こっています。

☆私は、安らかに、ゆったりと構え、宇宙にお願いを任せます。
☆宇宙は、私の送り出したエネルギーを形にします。
☆すべては、私が満足するように解決されます。
☆どんな解決法であっても、私にとっては最高の結果をもたらします。

これらの言葉は、しっかりと頭に入れておいたほうがいいでしょう。そして、心の底から何度も唱えてみましょう。そうすることによって、疑うすきを与えなくなります。**幸せに導くあらゆる解決法を歓迎しましょう。**

時間的に制約されたお願いをするときに必要なのは、喜びを感じながらお願いすることです。時間に迫られると、気持ちにゆとりがなくなってきます。そういうときこそ、喜ばしい願いのエネルギーに浸ることが重要なのです。

朝と夜、布団の中で、解決法が見つかるとどんなふうに感じるかを思い浮かべ、解放された気持ちに浸ってみるといいでしょう。

Q：いろいろなことをしようとするのですがかないません、どうしてでしょう？

「～しようとする」という言葉がまちがっているのです。「しようとする」とき、人は、何となくやってみようと思っているだけで、本格的には取り組んでいません。私たちはよく、「～しようとすると」「～しようとしたところ」というような言い方をしますが、その言葉の後には、意図したこととは違う結果になったという意味の言葉が続きます。つまり、何かを「しようとする」という言葉の中には、成功しないことを前提にした考えが含まれているのです。何かを願ってはいても、信用はしていません。ですから、「しようとする」と願いはすぐに呼び戻されてしまうのです。

私の友人は自分の行うセミナーで、受講生に次のようなトレーニングをしてもらいます。部屋の真ん中に立ってもらい、「右足を上げようとしてください」と頼むのです。足が床から離れると、すぐにやめさせます。「する」のではなくただ「やろうとする」だけでいいのです。もちろん、二回目も足を「持ち上げようとする」よう頼むのですが、足が床から離れた時点で中断されます。どういうことかというと、ただ、足を上げようとするだけで、実際にやってはいけないのです。

たいてい、受講生はしだいにイライラしはじめます。そして、「そんなことできません！」と言うはずです。まさしくこの状態を引き出すために、このトレーニングが行われます。何かを「やろうとする」と何かを「する」は、まったく違うエネルギーなのです。

願う場合にも同じです。私たちが「願おうとする」ときに送り出すエネルギーは、中途半端な状態です。まだ心からは信じていないが、どうなるのかを楽しみにしているという状態です。願いがかなえられることを楽しみにしているのではなく、私たちを納得させてくれる偶然を期待している状態でもあります。それは、「上手に願う」こととはまったく反対の状態です。「上手に願う」ことは、偶然の出来事を期待することではありません。私たちが思いどおりにつくり上げた確かなエネルギーを、信念をもって外に向かって放つことなのです。懇願したり、やさしく親切な気持ちを込めてお願いする必要はありません。エネルギーに必要なのは、はっきりとした目標です。私たちは、エネルギーを発信し、受信します。これがすべてです。私たちは、思いの中でエネルギーをつくり上げ、戻ってくる豊かなエネルギーで現実をつくり出しているのです。

Q：どうして多くの願いがかなえられないのでしょうか？

あなたの願いがかなえられないとすれば、次のことが原因かもしれません。

- 過去からの固定観念が、願いがかなうということを受け入れない。
- あなたの願いが緊急を要するもので、無理やり手に入れようとしている。そのせいで、いやおうなしに不安を抱いてしまい、気軽さや喜びなど、ポジティブな気持ちが欠けている。
- 引き寄せたいことよりも、避けたいことに重点を置いて考えている。それによっていやなことに、はるかに多くのエネルギーを注いでいる。
- 自分のことを愛される存在だと感じていないため、宇宙からの贈り物を受け取る資格がないと思っている。
- 信用する気持ちが足りない。
- 片手間にお願いしているだけで、真剣には取り組んでいない。

- 願いがかなえられてしまったときの環境の変化に不安を感じている。
- 使っているお願い言葉が的確でない。
- 使っているお願い言葉が文字で記録されていない。
- お願い言葉を唱えてるだけで、本気になっていない。
- お願い言葉を唱えても、喜びを感じない。

以上の項目に該当するものがあれば、次の問いかけに答えてみるといいでしょう。

- 私が確信していることは何だろう？
- 心の奥深くで信じていることは？
- 願うことで、本当にすべてを手に入れられるのだろうか？
- 私は何かを恐れているのだろうか？
- 私の抱いている不安は、願いよりも大きいのだろうか？
- 私は思ったとおりの願いのエネルギーを発しているのだろうか？
- 私は疑いを抱いているのだろうか？　そうだとすると、どんな疑いだろう？

• 私の抱いている疑いは、本当の願いよりも大きいのだろうか？
• 願いが実現されるだけの価値が、私にはあるのだろうか？
• 私は、目標を達成すると本当に信じているのだろうか？

多くの場合、願いが届かない理由はただ一つ。それは、心の安定が足りないということです。次のようなことは、とてもよく起こります。あることを願ったとします。はじめは、目標に心を寄せ、願いが届けられると信じて機嫌よく待ち望んでいます。しかし数日後、疑いの気持ちが浮かび、願いの内容を少し変更してしまいます。また、制限を加えたり、願いがかなうことを信じなくなっています。さらに、願いが実現するなどということは途方もない空想の世界だと思いはじめ、知らぬ間に自分の空想を嘲笑《ちょうしょう》するようになってしまうのです。しばらくすると、再び新しい方向に何かを誓うものの、その誓ったことへの信念も翌日まで保てるかどうか自信がありません。そうやって行ったり来たり、手探りしているのです。ようやく方向を決め、目標に大きく一歩踏み出すのですが、また確信がもてなくなって目標を見失います。そのように、さまよいつづけた結果、最後にはまた出発点へと戻ってきてしまうのです。

このように、思いの世界で行ったり来たりしていると、願いが届けられたときには混乱してしまいます。疑いに対して大きなすきを与えた状態では、はじめに願ったことを忘れ、次から次へと別のことを願ってしまいます。そのくせ、どうしてはじめに願ったことがかなわないのかと驚くのです。知らず知らずのうちに自分の進もうとしていた道から外れ、気がつけば振り出しに戻っていた、というのはよくあることです。そのような不安定な状態では、新たにスタートを切ったとしても、自分の願いのエネルギーに、以前ほどには信頼を抱いていません。ある場所から次の場所へ移動するのに、しっかり計画を立てていなければ、目的地に到着することはできず、当てもなくさまよいつづけることになります。そんなとき、私たちはもがき苦しみ、膨大なエネルギーを消耗しています。そして、こんなに集中してがんばっているのに願いがかなわないことに愕然《がくぜん》とするのです。願いをかなえたいとき、力は必要ではありません。どんと構えて、願った方向に思いを向けさえすればいいのです。そうすれば、すべてがひとりでに動き出します。

私たちの思いがあちこちさまよいつづけるのであれば、私たちの行動も、同じように安定しません。私たちが思いや願いの言葉に振り回されていると、不安定な状態から抜け出すことはできず、だんだんと疲れていくことでしょう。願いがかなわないのであれば、願いを書き込む専用のノートを用意するといいかもしれません。そうすれば、あなたの願いの中に疑いが込められていないか、詳しく調べることができます。お願いしたのに望まない結果を手に入れてしまうのは、思うように願えていないということです。つまり、欲しくないことばかりに注意を向けているからです。

あなたの人生では、あなたがいつも考えていることが実現されるのです。

- あなたの無意識の願いがどこからくるのかを探ってみましょう。
- あなたが確信していることがあなたの人生をつくり上げる、ということを忘れないでください。
- あなたの確信していることや考え方に焦点を当ててみましょう。
- あなたの思いのすべてはあなたの願いであると自覚しましょう。

あなたは、いつでも自分で考えていることを手に入れています。共鳴の法則は、あなたが集中的に考えている内容が、あなたの本当の願いかどうかは考慮してくれません。あなたには、あなたが送った波動と同じものだけがもたらされます。あなたがそれを気に入っても、気に入らなくても、関係ありません。もちろん、人は願いがかなってほしいと思っています。しかし、本当の願いとは反対のことを考えている間は、欲しいものは手に入らないのです。

Q：複数のことを同時にお願いできますか？

こんなに簡単なことはありません。**複数のことをお願いするのは、私たちの多くが毎日、上手にやっていることです。**私たちは、映画のチケット、一番いい駐車場、パートナー、美しい家、新しい食器洗い機や理想的な職場といったぐあいに、さまざまなことを絶えず願っています。これらの願いはすべて、同時にお願いしても、一つずつ順番にお願いしても、同じようにうまくかなえられます。

お願いすると、私たちの思いのエネルギーは外に向かって放たれ、放たれたエネルギーは実現に向けて全力を尽くします。そして、私たちの考えていたことを形にして運んできます。エネルギーにとっては、同時にたくさんの願いが発信されているかどうかは問題ではありません。しかし私たちは、願いが他の願いと対立し、お互いを妨害したり制限したりしないよう、心がけなければなりません。ですから、同時に複数のお願いをするときには、小さなメモ帳を用意し、願いごとはすべて書き出しておくといいかもしれません。大まかな概要をつかむ方法は、それしかありません。何といっても、私たちは、毎日どんどん重要な願いを思いついてしまうのですから。

一週間で三つの願いがかなえられる

まったく異なった願いごとをするのがどんなにたやすいことかは、マルティナさんのメールが証明してくれます。彼女は、一週間で三つの願いごとがかなえられました。

親愛なるピエール・フランク様
私の成功話は、実際にはもっとたくさんあるのですが、とりあえず思いついたことを三つだけお知らせします。

一つ目は、パーキングメーターの話です。私は小銭をもっていませんでした。遠くには、駐車監視員の姿が見えます。どこかで両替してもらい、駐車券を手に入れる方法もあったでしょう。しかし、私は心の中でにやりと笑い、言いました。「解決法が見つかりますよう、天にお願いを預けます」。するとその瞬間、ひとりの男性が私に近づいてきました。そして、こう言ったのです。「このチケット、お使いになりますか？　まだ三十分残っているので」。なんてすばらしいのでしょう。

二つ目は、私の愛する男性の話です。彼は、六〇〇キロも離れたところに住んでいるので、私たちはめったに会うことができません。あるとき、メール交換をしているうちに話に食い違いが生じ、私は混乱していました。自分で自分の心の負担を大きくしたくなかったので、解決法をお願いし、問題を手放しました。すると、その晩すぐに、彼から電話をもらいました。彼はスウェーデンに行くので、途中、私のところに寄りたいと言ってきたのです。彼が来てくれたおかげで、実り多い話ができ、生じていた誤解が解けました。素敵な解決法です。

三つ目は、私の気分がすぐれなかったときの話です。私は、不安をたくさん抱え、夜もろくろく眠れずにいました。そんなある日、天使セミナーが開催されるのを知り、行ってみたいと思いました。しかし、私には参加費用を払う余裕がありませんでした。私はお願いすると、そのまま宇宙に預けました。すると翌日、セミナー主催者から電話がかかってきたのです。主催者は、ふと私のことを思いつき招待したくなった、と言ったのです。

これらは一週間のうちに起こった出来事です。

マルティナ

このように、お願いはあっという間にかなえられます。ですから、ただお願いしましょう。願いの数はいくつあっても問題ありません。大きな夢でも小さな夢でもかまいません。誰もあなたを制限できません。制限するのは、あなた自身だけなのです。

Q：みんなが同時に駐車場をお願いしたら、どうなりますか？

一見、もっとも強いエネルギー、もっとも強い願いが勝利を収めるように思われるでしょう。

しかし、それは短絡的な発想といえます。なぜなら、宇宙には無限に豊富なアイデアがあるというのに、不足している状態を前提に解決法を見つけようとしているからです。私たちの日常生活では、駐車場の数が不足している状態が当たり前になっています。すると理性は、この手のお願いは「上手に願う」技術をもってしてもそうそう長続きはしない、そのうちうまくいかなくなる、と理屈で私たちを説得しようとします。つまり、上手に願える人が増えてきて、みなが一斉に願ってしまったら、のん気に構えてはいられない、と理性が言うのです。

しかし、そんなことは絶対にありません。**願いの力は、制限され欠けた状態の中から答えを引っ張り出すのではなく、ありとあらゆる可能性の中から解決法を探し出すのです。**ですから、本来は駐車場でないところに新しい駐車場ができたり、車の向きを変えることによって駐車できたり、個人の家の裏庭に安い料金で止めさせてもらったりすることもあるのです。

絶対にありえない場所で駐車場を手に入れる

私は、オクトーバーフェスト（ミュンヘンのビールの祭典）に車で行ったことがありました。出発前、会場での駐車場をお願いしたのですが、もちろん、むちゃなお願いだということはわかっていました。ものすごい渋滞に巻き込まれた末、ようやく現地に到着しましたが、反対方向から走ってくる車の運転手はみな、不機嫌そうでした。どこもかしこもいっぱいで、これ以上、車を止めるスペースがなかったからです。

すると、ひとりの少年が私に手を振り、合図しました。お父さんがちょうどガレージから車を出して出かけてしまったので、三マルク支払えばここに車を止めてもいい。さらに二マルク追加すれば、私の車を見張っていてくれる。お父さんが帰ってくるので午後八時前には車を出してほしい、と言うのです。

こうして、私は絶対にありえない場所に、公共の駐車場よりも安い料金の駐車場を手に入れたのでした。

宇宙の問題解決法は、私たちが想像しているよりもはるかに発想豊かです。ですから、私たちは自分で問題を解決しようとしないほうがいいのです。なぜなら、私たちは欠けた考えの中からは抜け出せないからです。落ち着いて自分の駐車場を願い、他の人にも同じように願わせてあげましょう。そうすれば、不思議な方法がいくらでもあることがわかるはずです。

Q：願いはどのように変更したらいいですか？

私たちは、自分の考えをしょっちゅう変えます。それは私たちの権利でもあります。願いがかなえば発展があるはずです。ですから、過去に力を注いだ願いのせいで、自分の発展が妨げられることほどバカげたことはありません。過去にしがみつくと、私たちの前進は妨げられてしまいます。

では、すでにリクエストした願いを取り消したいとき、私たちはどうしたらいいのでしょうか？　とても簡単なことです。**エネルギーを遠ざければいいのです。そのことをもはや考えないようにします。**エネルギーを発信すると願いが届けられますが、それは共鳴の法則があるからです。同じものは引かれ合います。違うものは反発し合います。ですから、あることから私たちのエネルギーを遠ざけると、私たちは別の共鳴するものに取りかかります。つまり、私たちは違う波動を発信するのです。私たちが手にしているものでも波動が合わなければ、私たちの人生から消えてなくなってしまいます。

このことを、私たちは日々の生活の中で体験しています。たとえば、パートナーからエネルギーを遠ざけると、ふたりの関係はだんだんと弱くなり、やがて別れが訪れます。手入れをしない庭や人の住んでいない家など、私たちが思いのエネルギーを注がないところは、しだいに荒れていきます。やがて、エネルギーが注がれなくなったものは私たちの視界からまったく消えてしまい、それらを望んでいた人、つまり共鳴した人の手に渡っていくのです。

願いを取り消したい、もしくは変更したいのであれば、過去に注いだエネルギーに対し、必要なくなってしまったけれど、これまでつくり出してくれてありがとう、と感謝の言葉を述べましょう。そして、新しい願いに集中し、実現に向けて努力しましょう。

願いを書き留めておいたときには、不要になった願いは線を引いて消し、その横に、願いを「変更した」「取り消した」といったような注意書きを記します。多くの人は、何か月もしないうちに願いを変更したことなど忘れてしまい、願いはかなえられなかったと思い込むので、線を引いて抹消しておくことはとても重要です。

新しい願い、変更された願いに集中するために、それを文章にしておくといいでしょう。そうすればあなたは古い願いのことを考えなくなります。そうすることで、無意識のうちに古い願いを引き寄せることが避けられます。つまり、新しい願いだけにエネルギーを注ぐのです。そうすれば古い願いは自動的に抹消されます。
はっきりと意識的に願いましょう。古い願いに別れを告げ、新しいことを始めましょう。

Q：願いが届くには、どれくらいの時間がかかりますか？

その答えにあなたは驚くかもしれません。**答えは「あなたが思っているくらい」の時間です。**

ですから、とても早く願いが届くこともあれば、時間がかかることもあります。あなたがどう思っているかに左右されるのです。願いがかなうのは難しい、と思っていれば、実際に難しくなるでしょう。大きな願いだとかなえられるまでに時間がかかるかもしれない、あなたは無意識のうちにそう考えているかもしれません。大きな願いをかなえるには、特別なことをしなければならない、何かを一生懸命に習得しなければならない、と私たちは教え込まれているからです。また、自分には宇宙からの贈り物は届けてもらえないと思っていると、贈り物を受け入れる準備ができるまでに、大変な時間を費やすことになるでしょう。つまり、願いを受け入れる心の準備が本当にできているかどうか、今こそ自分には願う資格がある、と信じられるかどうかが鍵《かぎ》なのです。願いの大きさは重要ではありません。

重要なことは、あなたがどう思っているのかということです。ですから、**あなたがすぐにかなうと思っていれば、実際に、すぐにかなうのです。**

いかに早く願いがかなえられるか、ここで二つの例を紹介します。

願いはすぐにかなえられる

つい最近のことですが、私は秘書のためのビジネスワークショップにおいて『宇宙に上手にお願いする法』の講演をしました。二日後、イネスさんからメールをいただき、講演直後に上手に願ってくじ引きに当たった、という報告を受けました。

フランクさん、こんにちは。

今日、私はどうしてもあなたにお礼を申し上げたくて、メールを書きました。私は昨晩、同僚とともにデュッセルドルフから戻ってきたばかりです。私たちはワークショップに参加していました。土曜日に行われたあなたの講演はとても印象深く、私たちはすっかり夢中になってしまいました。本当に、願いはかなうのですね。私たちは上手にお願いすることの効果を確信しています。と申しますのも、あれからこんなことが起こったからです。私は、講演のあとにくじ引きがあることを知らされました。そこで私は、レポート用紙の最後のページに「今晩、私はワークショップの一等に当たります」と書いたのです。すると、本当に一等を獲得したのです。賞品は、二〇〇ユーロ以上に相当する次回のセミナーのためのクーポン券でした。普通の買い物商品券ということもありえたのでしょうが、私は「ワークショップの」と書いた結果、ワークショップのクーポン券が当たったのです。私たちはびっくりして、ぽかんとしてしまいました。

また、同僚が出勤してくるなり、「今日は病院の真横の駐車場を手に入れる、と願ったのよ」と、言いました。それでどうなったかというと、彼女はいつもは絶対に空いていない駐車場に車を止められたのです。私たちはすっかり魅了されてしまいました。私たちはあなたに心から感謝しています。そして、これからも願いつづけることでしょう。

イネス

すぐにかなえられた遊覧飛行の夢

前略

晩秋のある日曜日の午後のことです。一日中、雨が降ったりやんだりしていました。その日、朝からヘリコプターが行ったり来たりしているのに気がついていましたが、私はそれ以上のことには関心がありませんでした。というのも、私は飛行機に乗るのがそんなに好きではないからです。

雨がやみ、雲の切れ目から日がさしてきたので、私は妻を散歩に誘いました。妻は、外出するのをしぶっていたのですが、「ヘリコプターがどこから飛んでくるのか見に行こうよ」と言って、口説き落としました。じつはこの日、工業地帯に新しくインテリアショップがオープンし、一定の金額以上の商品を買った客には、ヘリコプターの遊覧飛行がサービスされていたのです。私たちは、そのときはまだそのことを知りませんでした。散歩の途中、私は妻に、ヘリコプターに乗りたいか、と無意識に尋ねました。すると、「あなたが？　ヘリコプターねえ」と、彼女はあきれたように笑うのです。もちろん、私がその気になったものを手に入れることができるなんて、妻は考えてもいなかったことでしょう。まず、私はパイロットに話しかけ、乗せてくれるよう説得しましたが、承知してもらえませんでした。そして彼はひと言、インテリアショップのミニバンで来れば乗せてあげる、と言ったのです。私は、ポジティブに考えながら、「ではのちほど」と、彼に別れを告げました。そして、私たちはその足で店に向かいました。ちょうどそのとき、再び激しい雨が降り出しました。店に到着したとき、私たちはずぶぬれでした。すると、きりっとしたスーツ姿の女性がやってきて、私たちにシャンパンを振る舞い、歓迎してくれたのです。私は映画の登場人物になったような気分でした。散歩の途中で通りかかっただけです、と言いましたが、女性はかまわないといった様子で、私たちの訪問を喜んでくれました。そして、新しい商品をご覧ください、新しい店で楽しんでいってください、と私たちにすすめてくれたのでした。妻が熱心に家具を眺めている間、私は店内をエネルギーで満たしました。

するると、店を出るときにひとりの男性が「ヘリコプターに乗りませんか」と、とても親しげに話しかけてきたのです！　何かが全身を駆け抜けていったようなあの気持ちは、言葉では言い表せません！　私はにっこりと微笑《ほほえ》みました。次の瞬間、私たちはミニバンの中に座っていました。妻は、驚きのあまりひと言も口がきけない様子でした。私は、先ほど話しかけたパイロットに、車の中から手を振って挨拶《あいさつ》しました。家具は買わなかったと伝えたときの彼の驚いた表情は、今でも私の目に焼きついています。

それからは、すべてがあっという間に過ぎていきました。私たちは、すばらしい遊覧飛行を体験させてもらいました。自宅上空を大きな音をとどろかせながら低空飛行し、自分たちが住んでいる地域を空から楽しむことができました。留守番をしていた子どもたちもヘリコプターに気づいていましたが、私たちが乗っていたとは夢にも思わなかったようで、なかなか信じてもらえませんでした。幸いにもデジタルカメラで写真を撮っていたので、子どもたちにも証明することができました。

この体験で、私はとても多くのエネルギーを与えられました。このことを思い出すたびに、私には力がわいてきます（私は通勤のときにその店の前を通るのですが、そのたびに感謝せずにいられません）。

スイス在住　トニー

思いの力は限界を知りません。本当にすべての願いがかなう、一見不可能に思えることも可能である、ということを次の体験談が示しています。

難病から解放される

親愛なるピエール・フランクさん
少し前のことになりますが、私は『宇宙に上手にお願いする法』を読みました。今日は、あなたに心より御礼が言いたくてご連絡しました。あなたの本のおかげで、私は新しい視点で人生を見られるようになれたのです。私は、上手にお願いをし、たくさんの願いごとが届けられていたにもかかわらず、贈り物を受け取ったことをまったく自覚していませんでした。
数年前、私には、人生でもっとも大きな、そしてもっとも驚くような願いがかなえられていたのです。私には生まれつき、顔や首や手といったかなり目立つ場所にアトピー性皮膚炎がありました。そのせいで、「かわいそうだなあ。きれいな人だけど、感染しそうだから握手はしたくない」などと言われることもありました。それは、私のような若い女性にはひどくこたえる言葉でした。そのうち、私は皮膚炎にうんざりしてしまい、つるつるのきれいな肌になることを心の底から願いました。そして私の願いがかなえられるまでに、少し、時間はかかりましたが、これ以上の結果は望めないほどきれいな肌になったのです。この奇跡は、自然療法士やクリームのおかげでも、皮膚科の医師のおかげでもないことが、今の私にはよくわかります。純粋な奇跡です。それは、完治することはないと思っていたすべて医師も認めていることです！

レギーネ

四一万ユーロを上手に願う

三年ほど前、私は、離婚によって大きな危機に陥り、さらにおよそ三万ユーロの借金を抱えていました。不動産と年金による収入が継続的にあったものの、新しい家を建てている最中だったので、これではとうてい足りず、にっちもさっちもいかない状態でした。そこで私は、返済を業者にこれ以上待たせなくてもいいように一括払いできるだけのお金を崇高な力に求めました。私は紙に願いを書きました。全然根拠のない数字で、どうしてだか自分でもわかりませんが、四一万ユーロと書き、その紙を陶器でできた菩薩《ぼさつ》像の下に置き、そのまま手放し、忘れました。こんな大金のことを考えつづけるなんて、意味がありませんでしたから。

それから少したったある日、眠りから覚めかけうとうとしていたときに、声を聞いたのです。「そんなもの、売ってしまいなさい！」。私はすぐに賃貸している家のことだとわかりました。その家は祖父方の財産で、負債もなく、抵当にも入っておらず、価値はありましたが、権利関係が複雑な物件でした。家を売却すれば、とても厄介なことになるのは予想できました。行動を始めると、予想もしない家族の問題が浮上して、五か月もよけいな時間を費やし、すべてが片づくまでには一年の月日を要しました。しかし、その結果、私は二〇〇六年九月にその家を高く売ることができました。そして、相続人でお金を分けたあと、販売価格の半分が私の手元に残りました。

数週間前、私は、願いがかなえられたことを急に思い出し、菩薩像の下の紙を読み直したのです。私の相続した金額は、四一万二五〇〇ユーロでしたが、裁判所に相続証明の費用を支払うと、四一万ユーロきっかりになることでしょう。

フーベルト

★エピローグ

うまくいかない
こともある

★願いを表現するときには、慎重にしましょう。

いかに願いが正確に届けられるかを示してくれる、愉快な体験談を紹介します。**願いを表現するときには、慎重にしましょう。**まずは、私自身の体験です。

愛する女性といっしょにバカンス

もうずいぶん前のことですが、ぎりぎりの生活をしていたときのことです。私は旅行したいとお願いしました。願うときには費用のことを考える必要はないと思ったので、はるか遠くの国、冬でも太陽が輝き、シュノーケルができる南の海へ行きたい、と願いました。そして具体的に、魚が私のまわりを泳いでいるところを思い浮かべ、喜びを味わってみました。もちろん、ひとりで行く気はありませんでしたので、私が愛する、私の愛にこたえてくれる女性といっしょに行くとお願いしました。話をさらに盛り上げるために、彼女と一日中ベッドで過ごしたい、とも願いました。

それから二週間後、母から電話がありました。

誤った願い方をした結果、ここで何が起こったのか、おおよそ見当がつくことでしょう。母はある懸賞に応募し、タイ旅行をペアで当てたのでした。そして、いっしょに行こう、と私を誘ってくれたのです。私は、私が愛する、私の愛にこたえてくれる女性と南の海へ旅行することを望みました。もちろん、私は別のことを意図していたのですが、そのように表現したことには変わりありません。

いっしょにベッドで過ごす夢はどうなったか？　もちろんその願いも届けられました。残念ながら……。私たちはシュノーケルをしました。思い浮かべたように、無数の魚が目の前を泳いでいきました。ところが、私たちは喜びのあまり、時間を忘れて泳いでいたため、ひざ裏をやけどしてしまったのです。

もちろんTシャツを着て、足には日焼け止めもしっかり塗っていましたが、ひざの裏側までは十分に塗れていなかったのでした。あまりの痛みに耐えかねて、翌日は、一日中ベッドでごろごろしながら読書して過ごしたのです。

とはいえ、とても思い出深い、楽しい旅行でした。

残念ながら願ったとおりのお金がきっちり届く

こんにちは。

私は、姉からお願いの言葉を考えてほしいと頼まれました。姉は、夢をかなえるためにお金を願っていたのです。

そこで私は電話で連絡しました。『宇宙に上手にお願いする法』を引用し、七万七七七七ユーロを例にあげ、お願いしたい金額を自分で書き入れるよう伝えました。そのとき姉は、速く書き取ろうとして数字を短縮し、七七ユーロと書いたのです。

姉は、あとから清書するつもりで、とりあえずそのままにしておきました。しかし、義兄はそんなこととはつゆとも知らずに、その間に宝くじを買い、七七ユーロを当ててしまったのです。姉が驚きながらこの失敗談をしてくれたとき、その場は大爆笑でした。

ゲルリント

願いはかないます。

私たちは絶えず何かを願っています。

そして気づかぬうちに望まぬことまで願い、
かなえてしまっています。

望まぬことはかなえず、望んだことだけをかなえる。
願い方には方法があるのです。

あなたの望みは何ですか？

あなたは人生で何を実現させたいですか？

ピエール・フランク（Pierre Franckh）
1953年、ドイツのハイルブロン生まれ。6歳で舞台に立つ。1964年、11歳のときにヘルムート・コイトナー監督による映画『Lausbubengeschichteh　わんぱく小僧物語』（日本未公開）に出演。これまでに数々の映画、200以上のテレビドラマなどに出演し、ベルリン、ミュンヘン、フランクフルトの舞台にも立ってきた。
2000年には映画『Und das ist erst der Anfang　そしてこれはただの始まり』（日本未公開）で監督、脚本家としてデビューを果たす。1996年からは執筆活動にも力を注ぎ、『宇宙に上手にお願いする法』（邦訳サンマーク出版）などベストセラーを出している。

中村智子（なかむら・ともこ）
1966年、神奈川県生まれ。法政大学法学部卒業。訳書に『ちいさなワニでもこころはいっぱい』（ダニエラ・クロート著／ソニー・マガジンズ）、『宇宙に上手にお願いする法』（サンマーク出版）など。

宇宙にもっと上手にお願いする法

2008年4月 1日　初版印刷
2008年4月10日　初版発行

著　者　ピエール・フランク
訳　者　中村智子
発行人　植木宣隆
発行所　株式会社 サンマーク出版
東京都新宿区高田馬場2-16-11
(電)03-5272-3166
印　刷　共同印刷株式会社
製　本　株式会社若林製本工場

ISBN978-4-7631-9810-5　C0030
ホームページ　http://www.sunmark.co.jp
携帯サイト　http://www.sunmark.jp